BESTSELLER

Michael Cunningham
Le ore

Traduzione di Ivan Cotroneo

Bompiani

MICHAEL CUNNINGHAM

LE ORE

Titolo originale:
The Hours
Traduzione dall'americano di Ivan Cotroneo

© 1998 by Michael Cunningham
Published by Fourth Estate Ltd, London, 1999
© 1999 RCS Libri S.p.A., Milano
Prima edizione Bompiani: settembre 1999

Edizione su licenza di RCS Libri S.p.A.
Superpocket © 2004 R.L. Libri s.r.l., Milano

ISBN 88-462-0350-X

Questo libro è per Kèn Corbett.

"Cercheremo ora una terza tigre, ma come le altre anche questa sarà una forma di ciò che sogno, una struttura fatta di parole e non la tigre in carne e ossa che al di là di tutti i miti solca la terra. Conosco queste cose abbastanza bene, e tuttavia una forza continua a spingermi in questa vaga, irragionevole e antica ricerca, e continuo a inseguire ora dopo ora un'altra tigre, la bestia che non si trova nei versi."

Jorge Luis Borges, *L'Altra Tigre*, 1960

"Non ho tempo per descrivere i miei piani. Dovrei dire una quantità di cose su 'Le Ore' e la mia scoperta, su come scavo delle belle caverne dietro i miei personaggi: credo che dia esattamente quello che voglio, umanità, umorismo, profondità. L'idea è che le caverne siano collegate, e ciascuna venga alla luce nel momento presente."

Virginia Woolf, nel diario, 30 agosto 1923

Prologo

Si affretta, via di casa, indosso ha un cappotto troppo pesante per il clima. È il 1941. È scoppiata una nuova guerra. Ha lasciato un biglietto per Leonard, e un altro per Vanessa. Cammina con determinazione verso il fiume, sicura di quello che farà, ma anche in questo momento è quasi distratta dalla vista delle colline, della chiesa e di un gregge sparso di pecore, incandescente, tinto di una debole traccia di zolfo, che pascola sotto un cielo che si fa più scuro. Si ferma, osserva le pecore e il cielo, poi riprende a camminare. Le voci mormorano alle sue spalle; bombardieri ronzano nel cielo, ma lei cerca gli aeroplani e non riesce a vederli. Supera uno dei lavoranti della fattoria (si chiama John?), un uomo robusto, con la testa piccola, che porta una maglietta del colore delle patate; sta pulendo il fosso che corre lungo il vincheto. Lui la guarda, fa un cenno con il capo, guarda di nuovo in basso, nell'acqua marrone. Mentre lo supera diretta al fiume, pensa a quanto lui sia appagato, a quanto sia fortunato, a pulire il fosso in un vincheto. Lei invece ha fallito. Non è una scrittrice, non veramente: è solo una stravagante dotata. Squarci di cielo brillano nelle pozzanghere lasciate dalla pioggia della notte precedente. Le sue scarpe affondano leggermente nella terra soffice. Ha fallito, e ora le voci sono ritornate, mormorano indistinte proprio dietro il suo campo visivo, dietro di lei, qui, no, ti volti e sono andate via, da qualche altra parte. Le voci sono ritornate e il mal di testa si sta avvicinando, sicuro come la pioggia: il mal di testa che distruggerà qualunque cosa lei sia e prenderà il suo posto. Il mal di testa si sta avvicinando e sembra (lo sta solo immaginando, o no?) che i bombardieri siano di nuovo comparsi nel cielo. Raggiunge l'argine, lo scavalca e continua giù, di nuovo verso il fiume. C'è un pescatore a monte, su per il fiume, non si accorgerà di lei, oppure sì? Comincia a cercare una pietra. Lo fa in fretta, ma con metodo, come se stesse seguendo una ricetta a cui bisogna obbedire scrupolosamente per raggiungere un buon risultato. Ne sceglie una approssimativamente del peso e della forma della testa di un maiale. Anche mentre la raccoglie e la spinge a forza in una delle tasche del cappotto (la pelliccia le fa il solletico sul collo), non può fare a meno di notarne la qualità fredda e gessosa e il colore, un marrone lattiginoso con tracce di verde. Sta vicino alla sponda del fiume, che si spinge contro l'argine, riempiendo le piccole irregolarità del fango di acqua chiara, acqua che potrebbe essere una sostanza completamente diversa da quella giallo-marrone, chiazzata, apparentemente solida come una strada, che si stende immobile da una sponda all'altra. Fa un passo avanti. Non si toglie le scarpe. L'acqua è fredda, ma non tanto da essere insopportabile. Si ferma, ormai nell'acqua fino alle ginocchia. Pensa a Leonard. Pensa alle sue mani e alla sua barba, alle linee profonde intorno alla sua bocca. Pensa a Vanessa, ai bambini, a Vita e Ethel: tante persone. Anche loro hanno fallito, no? All'improvviso, si sente immensamente dispiaciuta per loro. Immagina di voltarsi indietro, di tirare fuori la pietra dalla tasca, di tornare a casa. Potrebbe forse rientrare in tempo per distruggere i biglietti. Potrebbe continuare a vivere; potrebbe compiere questo atto finale di gentilezza. Immersa fino alle ginocchia nell'acqua che si muove, decide di no. Le voci sono qui, il mal di testa sta per arrivare e, se si affida alle cure di Leonard e Vanessa, non la lasceranno andare via di nuovo, vero? Decide di continuare, perché la lascino andare. Si muove a stento, goffamente (il fondo è fangoso), fino a che l'acqua le arriva ai fianchi. Getta uno sguardo a monte, al pescatore, che porta una giacca rossa e non la vede. La superficie gialla del fiume (più gialla che marrone, vista da così vicino) riflette un cielo scuro. È questo, allora, l'ultimo momento di percezione vera: un uomo che pesca con una giacca rossa e un cielo nuvoloso che si riflette nell'acqua opaca. Quasi involontariamente (a lei sembra che sia involontariamente) fa un passo avanti o inciampa, e la pietra la spinge giù. Per un momento, ancora, sembra niente, sembra un altro fallimento: solo acqua gelata da cui può facilmente uscire; ma poi la corrente la avvolge e la trascina con una forza così muscolare, così improvvisa che sembra che un uomo forte si sia sollevato dal fondo, le abbia afferrato le gambe e se le sia strette al petto. Sembra un contatto personale.

Più di un'ora dopo, suo marito ritorna dal giardino. "La signora è uscita," dice la cameriera, battendo un logoro cuscino che scatena una piccola tempesta di piume. "Ha detto che sarebbe ritornata presto."

Leonard sale in salotto per ascoltare le notizie. Trova una busta blu, indirizzata a lui, sul tavolo. Dentro c'è una lettera.

Carissimo,
sono certa che sto impazzendo di nuovo: sento che non possiamo affrontarlo un'altra volta ancora. E stavolta non mi riprenderò.
Comincio a sentire voci e non riesco a concentrarmi. Quindi sto per fare quella che mi sembra la cosa migliore.
Tu mi hai dato la più grande felicità possibile. Sei stato in ogni senso tutto quanto potevi essere.
Non credo che due persone avrebbero potuto essere più felici, fino a che non è arrivata questa terribile malattia.
Non posso combatterla oltre: so che ti sto rovinando la vita, so che senza di me potresti lavorare. E lo farai, lo so.
Vedi, non riesco neanche a scrivere bene questo biglietto. Non riesco a leggere.
Voglio dirti che ti devo tutta la felicità della mia vita.
Sei stato estremamente paziente con me, e incredibilmente buono. Voglio dire che... Lo sanno tutti.
Se qualcuno avesse potuto salvarmi, tu avresti potuto. Tutto mi ha abbandonato, tranne la certezza della tua bontà. Non posso continuare a rovinarti la vita.
Non credo che due persone avrebbero potuto essere più felici di quanto siamo stati noi.

V.

Leonard esce dalla stanza, corre giù, dice alla cameriera: "Credo che sia successo qualcosa alla signora Woolf. Credo che abbia cercato di uccidersi. Da che parte è andata? L'ha vista lasciare la casa?"

La cameriera, in preda al panico, scoppia a piangere. Leonard corre fuori, supera la chiesa e il gregge; supera il vincheto. Sull'argine, trova solo un uomo con una giacca rossa, che pesca.

Viene trascinata in fretta dalla corrente. Sembra una figura fantastica, in volo, le braccia aperte, i capelli fluttuanti, la coda del cappotto di pelliccia che si gonfia dietro di lei. Si lascia trasportare, pesantemente, attraverso lance di luce marrone, granulare. Non arriva lontano. I piedi (le scarpe non ci sono più) toccano il fondo di quando in quando, e sollevano una nuvola lenta di fango, piena di neri scheletri di foglie, che se ne stanno tutti dritti e immobili nell'acqua quando lei è già scomparsa alla vista. Strisce di erbacce verde-nero si infilano tra i suoi capelli e nella pelliccia del cappotto, e per qualche momento gli occhi le vengono accecati da un ammasso compatto di foglie, che finalmente si libera e galleggia, avvolgendosi e svolgendosi e riavvolgendosi ancora.

Si ferma e trova pace, alla fine, contro uno dei piloni del ponte a Southease. La corrente le preme addosso, la tormenta, ma lei è saldamente posizionata alla base della colonna tozza e squadrata, con le spalle al fiume e il volto contro la colonna. Si raggomitola lì, con un braccio contro il petto e l'altro a galla, là dove cominciano i suoi fianchi. A poca distanza sopra di lei c'è la superficie brillante, increspata. Il cielo vi si riflette barcollante, bianco e carico di nuvole, attraversato dalle sagome ritagliate in nero dei corvi. Automobili e camion rombano sul ponte. Un bambino (non avrà più di tre anni) attraversa il ponte con la madre, si ferma al parapetto, si china e spinge un ramoscello che ha portato con sé fra le assi della staccionata, in modo che cada in acqua. La madre gli dice di muoversi, ma lui insiste a rimanere ancora un po', a guardare il ramoscello trascinato dalla corrente.

Eccoli qui, in un giorno all'inizio della Seconda Guerra Mondiale: il bambino e la madre sul ponte, il ramoscello che galleggia sulla superficie dell'acqua e il corpo di Virginia sul fondo del fiume, come se lei stesse sognando la superficie, il ramoscello, il bambino e la madre, il cielo e i corvi. Un camion grigio-verde rotola lungo il ponte, carico di soldati in uniforme, che salutano il bambino che ha appena lanciato il ramoscello. Lui saluta a sua volta. Chiede alla madre di prenderlo in braccio per vedere meglio i soldati, in modo che anche loro vedano meglio lui. Tutto questo entra nel ponte, risuona attraverso il legno e la pietra ed entra nel corpo di Virginia. Il suo volto, schiacciato di fianco contro la colonna, assorbe tutto: il camion e i soldati, la madre e il bambino.

La signora Dalloway

Ci sono ancora i fiori da comprare. Clarissa ostenta esasperazione (sebbene ami fare commissioni di questo tipo), lascia Sally a pulire il bagno ed esce, promettendo di ritornare entro mezz'ora.

È la città di New York. È la fine del ventesimo secolo.

La porta dell'atrio si apre su una mattina di giugno così bella e pulita che Clarissa sosta sulla soglia come farebbe sul bordo di una piscina, a guardare l'acqua turchese che batte contro le piastrelle, le strisce liquide di sole che guizzano nelle profondità blu. Come se si trovasse sul bordo di una piscina, ritarda per un momento il tuffo, l'improvvisa membrana di freddo, lo shock naturale dell'immersione. New York con il suo frastuono e la sua austera decrepitezza marrone, con il suo incessante declino, regala sempre alcune mattine estive come questa: mattine invase per ogni dove da un'affermazione di nuova vita così determinata da risultare quasi comica, come un personaggio di un cartone animato che sopporta punizioni infinite, terribili, e ne emerge sempre senza bruciature, senza cicatrici, pronto a subire ancora. Di nuovo giugno: gli alberi lungo West Tenth Street hanno dato alla luce, dal metro quadrato zeppo di bisogni di cane e cartacce in cui crescono, delle foglioline perfette. Di nuovo la finestra dell'anziana signora della casa accanto, piena come al solito di scoloriti gerani rossi di plastica piantati nella terra sporca, ha partorito un soffione selvatico.

Che eccitazione, che shock, essere viva in una mattina di giugno, florida, scandalosamente privilegiata, con una semplice commissione da fare. Lei, Clarissa Vaughan, una persona comune (a questa età, perché preoccuparsi di negarlo?) ha dei fiori da comprare e una festa da dare. Quando Clarissa esce dall'atrio, la sua scarpa fa un preciso rumore ghiaioso sulla pietra rosso-marrone, costellata di mica, della prima rampa di scale. Ha cinquantadue anni, solo cinquantadue, e gode di una buona salute quasi innaturale. Si sente bene, esattamente come si sentiva quel giorno a Wellfleet, a diciott'anni, quando uscì dalle porte a vetri in un giorno proprio come questo, fresco e talmente chiaro da risultare quasi doloroso, bruciante di voglia di crescere. C'erano libellule che zigzagavano tra la stancia. C'era un profumo erboso reso più acuto dalla resina dei pini. Richard uscì dietro di lei, le mise una mano sulla spalla e disse: "Ehi, salve, signora Dalloway." Il nome "signora Dalloway" era stata un'idea di Richard – una novità emersa in una notte ubriaca nella Casa dello Studente, quando lui le assicurò che il nome Vaughan non era adatto a lei. Avrebbe dovuto chiamarsi, le aveva detto, con il nome di un grande personaggio letterario, e mentre lei aveva discusso se Isabel Archer o Anna Karenina, Richard aveva insistito che "signora Dalloway" era l'unica e naturale scelta. C'era la coincidenza del nome proprio, un segno troppo ovvio per ignorarlo, e, più importante, la questione in senso lato del suo destino. Lei, Clarissa, chiaramente non era destinata a contrarre un matrimonio disastroso o a cadere sotto le ruote di un treno. Era destinata a incantare, a essere felice. Quindi era la "signora Dalloway", e così sarebbe stato. "Non è bello?" disse quella mattina la signora Dalloway a Richard. Lui rispose: "La bellezza è una puttana, preferisco i soldi." Quello che preferiva era mostrarsi spiritoso. Clarissa, che era la più giovane, la sola donna, sentiva di potersi permettere un certo sentimentalismo. Se era giugno inoltrato, lei e Richard erano già stati amanti. Era quasi un intero mese da quando Richard aveva lasciato il letto di Louis (Louis, la fantasia del ragazzo della fattoria, l'incarnazione vivente della carnalità dall'occhio stanco) ed era passato nel suo.

"Be', si dà il caso che a me piaccia la bellezza," aveva detto. Aveva sollevato la mano di lui dalla sua spalla, gli aveva morso la punta dell'indice, un po' più forte di quanto intendesse fare. Aveva diciott'anni, e un nuovo nome. Poteva fare tutto quello che le piaceva.

Le scarpe di Clarissa fanno un rumore di carta vetrata fine mentre scende le scale per andare a comprare i fiori. Perché non si sente più triste per la perversa contemporaneità della fortuna di Richard ("Una voce carica di angoscia, profetica nella letteratura americana") e per il suo declino fisico ("Lei non ha più linfociti T; non riusciamo a trovarne")? Che c'è di sbagliato in lei? Ama Richard, pensa a lui in continuazione, ma forse ama il giorno un po' di più. Ama West Tenth Street in un qualunque mattino d'estate. Si sente come una vedova volgare, che si è appena ossigenata i capelli sotto il velo nero, e alla veglia del marito fa un censimento degli uomini disponibili. Di loro tre – Louis, Richard e Clarissa – Clarissa è sempre stata quella con il cuore più duro, e quella più soggetta all'innamoramento. Ha sopportato per oltre trent'anni di essere presa in giro su quest'argomento; ha deciso un bel po' di tempo fa di lasciar perdere e di godersi le sue reazioni passionali, indisciplinate che, come dice Richard, tendono a essere crudeli e adoranti come quelle di una bambina precoce, particolarmente irritante. Lei sa che un poeta come Richard si muoverebbe in maniera risoluta attraverso una mattina come quella: la passerebbe al montaggio, scarterebbe la bruttezza accidentale insieme alla bellezza accidentale, cercherebbe la verità storica ed economica dietro queste vecchie case di mattoni, dietro le austere complicazioni di pietra della chiesa episcopale e il magro uomo di mezz'età che porta a spasso il suo terrier Jack Russell (sono improvvisamente dovunque sulla Fifth Street, questi piccoli cani irritabili con le ginocchia valghe), mentre lei, Clarissa, si gode semplicemente e senza ragione le case, la chiesa, l'uomo e il cane. È infantile, lo sa. Manca di incisività. Se dovesse esprimerlo pubblicamente (ora, alla sua età), questo suo amore la consegnerebbe al regno dei creduloni e dei sempliciotti, dei cristiani con le chitarre acustiche o delle mogli che hanno accettato di essere inoffensive pur di essere protette. Eppure questo amore indiscriminato è totalmente serio per lei, come se ogni cosa del mondo fosse parte di un intento vasto e imperscruta-

17

bile e ogni cosa nel mondo avesse il suo nome segreto, un nome che non può essere incanalato in una lingua, ma è semplicemente il vedere e sentire le cose in sé. Questa fascinazione determinata, durevole è ciò che lei pensa sia la sua "anima" (una parola imbarazzante, sentimentale: ma come altro chiamarla?), la parte che potrebbe plausibilmente sopravvivere alla morte del suo corpo. Clarissa non parla a nessuno di questo. Non si entusiasma troppo, non cinguetta. Si limita all'affermazione quando si trova di fronte a un'ovvia manifestazione di bellezza, e anche allora cerca di mantenere un certo ritegno adulto. "La bellezza è una puttana," dice talvolta lei. "Preferisco i soldi."

Stanotte darà la festa. Riempirà le stanze del suo appartamento di fiori e cibo, di persone intelligenti e influenti. Guiderà Richard, baderà che non si stanchi troppo, e poi lo scorterà *uptown* a ricevere il suo premio.

Raddrizza le spalle mentre è all'angolo fra la Eight Street e la Fifth Avenue, in attesa del semaforo. Eccola lì, pensa Willie Bass, che la incrocia sovente. La vecchia bellezza, la vecchia hippie, i capelli ancora lunghi e provocatoriamente grigi, uscita per una delle sue mattine a spasso, con i jeans e una camicia di cotone da uomo; ai piedi i sandali etnici (India? America Centrale?). Ha ancora qualcosa di sensuale: un certo fascino bohémien, da strega buona; eppure stamattina è una visione quasi tragica, in piedi con la camicia troppo grande e le scarpe esotiche, che resiste alla forza di gravità, un mammut femmina già in ginocchio nel catrame, che si riposa fra uno sforzo e l'altro: se ne sta in piedi corpulenta e fiera, quasi incurante, e finge di contemplare la tenera erbetta che la aspetta sulla scarpata di fronte, quando sta cominciando a capire che resterà lì, intrappolata e sola, dopo il calare della sera, quando escono fuori gli sciacalli. Aspetta con pazienza il semaforo. Dev'essere stata spettacolare venticinque anni fa. Gli uomini devono essere stati felici di morire fra le sue braccia. Willie Bass è fiero della sua abilità nel ricostruire la storia di una faccia, nel capire che quelli che sono ora vecchi sono stati una volta giovani. Il semaforo cambia e lui prosegue.

Clarissa attraversa Eight Street. Ama, non ne può fare a meno, il televisore rotto lasciato a morire, abbandonato accanto a una scarpa di vernice bianca con il tacco. Ama il carretto di verdura pieno di broccoli e pesche e mango, ciascuno con il cartello del prezzo infiorato da un'abbondanza di punteggiatura: "$1,49!!" "3 per 1 $?!" "50 cents AL PEZZO!!!!!" Più avanti, sotto l'arco, una donna anziana, con un vestito nero di buon taglio, sembra stia cantando, posizionata esattamente tra le statue gemelle di George Washington, quella da combattente e quella da politico, entrambe con le facce logorate dal tempo. È la calca della città, la sua spinta a muoverti: la sua complessità, la sua vita senza fine. Conosci la storia di Manhattan, un territorio selvaggio comprato con delle collanine, eppure ti sembra impossibile non credere che sia sempre stato una città: che se tu scavassi sotto di essa non troveresti le rovine di un'altra e più vecchia città, e poi di un'altra e di un'altra ancora. Sotto il cemento e l'erba del parco (ha svoltato per il parco ora, dove la vecchia donna rovescia all'indietro la testa e canta) giacciono le ossa di quelli che vennero sepolti nel cimitero dei poveri, cimitero che venne semplicemente ricoperto, cento anni fa, per costruire Washington Square. Clarissa passa fra i cadaveri mentre uomini sussurrano offrendo droghe (non a lei), e tre ragazze nere le sfrecciano accanto sui pattini a rotelle, e la donna anziana canta, stonata: "*Iiiii.*" Clarissa è allegra, contenta della sua buona sorte, delle sue belle scarpe (in saldo da Barney's, ma comunque); dopotutto qui c'è il solido squallore del parco, visibile anche sotto il suo cappotto di erba e fiori; qui ci sono gli spacciatori (arriverebbero a ucciderti se fosse necessario?) e gli svitati, i fuori di testa e gli spostati, persone la cui fortuna, se mai ne hanno avuta, è passata. Eppure lei ama il mondo così rude e indistruttibile, e sa che anche gli altri devono amarlo, i poveri come i ricchi, anche se nessuno sa chiarirne le ragioni. Perché altrimenti combattiamo per continuare a vivere, non importa quanto compromessi, non importa quanto feriti? Anche se stiamo peggio di Richard, anche se non abbiamo più carne, se siamo infiammati dalle lesioni, anche se defechiamo nelle lenzuola, ancora vogliamo disperatamente vivere. Deve avere a che fare con questo, pensa. Le ruote che stridono sull'asfalto,

l'irritazione e il fastidio che danno; getti brillanti di spruzzi spa-
rati dalla fontana mentre ragazzi senza maglietta lanciano un
frisbee e dei venditori (del Perù, del Guatemala) esalano un
fumo pungente, di carne, dai loro carretti argentati imbottiti;
vecchi, uomini e donne, che si sforzano di raggiungere il sole
sporgendosi dalle panchine, che parlano piano tra loro, scuo-
tendo la testa; il piagnucolio dei clacson delle automobili e lo
strimpellio delle chitarre (quel gruppo vestito di stracci laggiù,
tre ragazzi e una ragazza, è possibile che stia suonando *Eight
Miles High*?); foglie che luccicano sugli alberi; un cane macula-
to che dà la caccia ai piccioni e una radio che passa e suona una
canzone che dice: "Ti amerò sempre", mentre la donna in abito scuro in piedi sotto l'arco canta: "*Iiiiii.*"

Attraversa la piazza, riceve un veloce spruzzo dalla fontana,
ed ecco Walter Hardy, muscoloso, in pantaloncini e canottiera
bianca, che si esibisce nel suo disinvolto, atletico passo per
Washington Square Park. "Ehi Clare," la chiama Walter spor-
tivamente, e insieme passano un goffo momento a decidere come baciarsi. Walter punta le sue labbra verso quelle di Clarissa, e lei istintivamente sposta la bocca, offrendogli invece la
guancia. Poi si riprende e si gira un secondo troppo tardi, così che le labbra di Walter toccano solo l'angolo della sua bocca. Sono così compassata, pensa Clarissa, così nonna. Vado in
estasi per le bellezze del mondo, ma sono restia, semplicemente per una questione di riflessi, a baciare un amico sulla bocca.
Richard le disse, trent'anni prima, che sotto la sua superficiale
scorza da pirata c'erano tutte le qualità di una moglie di periferia, e lei adesso si è rivelata uno spirito povero, troppo convenzionale, causa di sofferenza. Non c'è da stupirsi che sua figlia ce l'abbia con lei.

"Sono contento di vederti," dice Walter. Clarissa sa – riesce
praticamente a vederlo – che Walter, in questo momento, sta lavorando a una serie di complicate tarature mentali che riguardano il significato personale della sua persona. Sì, è la donna
del libro, il soggetto di un romanzo di cui si è parlato molto già
prima dell'uscita, un romanzo di uno scrittore quasi leggenda-
rio, ma il libro è andato male, no? Ha avuto recensioni sbriga-

tive; è scivolato in silenzio sotto le onde. Lei è, decide Walter, come un aristocratico decaduto, interessante senza essere particolarmente importante. Lei lo vede arrivare alla sua conclusione. Sorride.

"Che ci fai a New York di sabato?" chiede lei.

"Evan e io restiamo in città questo fine-settimana," dice. "Si sente molto meglio con questo nuovo cocktail; dice che stanotte vuole andare a ballare."

"Non è un po' troppo?"

"Baderò io a lui. Non lo lascerò strafare. Vuole solo uscire di nuovo nel mondo."

"Credi che se la sentirebbe di venire da noi, stasera? Facciamo una piccola festa per Richard, in onore del Carrouthers Prize."

"Oh, fantastico."

"Lo conosci, no?"

"Certo."

"Non è che venga assegnato ogni anno. Non devono riempire un posto, come il Nobel e gli altri. Lo assegnano solo quando riconoscono che la carriera di qualcuno appare innegabilmente significativa."

"È fantastico."

"Sì," dice lei. Dopo un momento aggiunge: "L'ultimo a riceverlo è stato Ashbery. Prima di lui, Merrill, Rich e Merwin."

Un'ombra passa sul volto aperto e innocente di Walter. Clarissa si chiede: si sta interrogando sui nomi? O forse potrebbe... potrebbe davvero essere invidioso? Si illude che lui stesso possa concorrere a un onore di questa portata?

"Mi dispiace di non averti detto prima della festa," dice lei. "Solo non mi è venuto in mente che poteste essere qui. Tu e Evan non siete mai in città durante i fine-settimana."

Walter dice che naturalmente verrà, e che porterà Evan, se Evan se la sente, anche se Evan, naturalmente, potrebbe decidere di tenere in serbo le sue energie per il ballo. Richard sarà furioso quando saprà che Walter è stato invitato, e Sally sicuramente si schiererà dalla sua parte. Clarissa capisce. Poche cose al mondo sono meno misteriose del disprezzo che le persone

provano per Walter Hardy, che ha scelto di arrivare a quaranta-
sei anni con i berretti da baseball e le Nike, che guadagna una
somma oscena di soldi scrivendo romanzi sull'amore e sulla
perdita dell'amore fra ragazzi dalla muscolatura perfetta, che
può stare fuori tutta la notte a ballare la *house music*, felice e instancabile come un pastore tedesco che riporta un bastone. Si
vedono uomini come Walter dappertutto a Chelsea e al Village:
uomini che insistono, a trent'anni, a quaranta o anche più avanti; uomini che sono sempre stati allegri e fiduciosi, di costitu-
zione robusta, che non sono mai stati dei bambini strani, mai
presi in giro, mai disprezzati. Richard sostiene che gli uomini
gay eternamente giovani fanno più danno alla causa di quelli
che seducono i ragazzini, e sì, è vero che Walter non mostra alcuna ombra di ironia adulta o di cinismo, niente di remota-
mente profondo al suo interesse per la fama e per le mode, per
i ristoranti del momento. Eppure è proprio questa ingorda innocenza che Clarissa apprezza. Non amiamo forse i bambini in
parte perché vivono al di fuori del regno del cinismo e dell'ironia? È così terribile per un uomo volere più giovinezza, più piacere? E poi Walter non è corrotto: non propriamente corrotto.
Scrive i migliori libri che può – libri pieni di amore e sacrificio,
di coraggio che sfida le avversità –, e sicuramente devono essere di conforto a un gran numero di persone. Il suo nome appare costantemente sugli inviti per le raccolte di fondi e sulle lettere di protesta; scrive fascette pubblicitarie generose fino al-
l'imbarazzo per i libri degli scrittori più giovani. Si prende cura
di Evan con scrupolo, con dedizione. Clarissa crede che di questi tempi le persone si valutino per la loro gentilezza, e per la loro capacità di dedizione. A volte ci si stanca di arguzia e intelligenza, il piccolo sfoggio di genio che fanno tutti. Lei si rifiuta di
smettere di godersi la svergognata mancanza di profondità di
Walter Hardy, anche se questo spinge Sally ad allontanarsi, e ha
offerto a Richard la possibilità di chiedersi a voce alta se lei, Clarissa, non sia niente più che una persona vana e futile.

"Bene," dice Clarissa. "Sai dove abitiamo, vero? Alle cinque."

"Alle cinque."

"È necessario che sia così presto. La cerimonia è alle otto, e facciamo la festa prima invece che dopo. Richard non ce la fa ad affrontare notti troppo lunghe."

"Bene. Ci vediamo alle cinque." Walter stringe la mano di Clarissa e si allontana con un passo atletico, una dimostrazione di vigorosa vitalità. In un certo senso è uno scherzo crudele invitare Walter alla festa di Richard, ma dopo tutto Walter è vivo, proprio come Clarissa, in una mattina di giugno, e si sarebbe sentito orribilmente snobbato se avesse scoperto (e sembra che lui scopra sempre tutto) che Clarissa lo aveva incontrato lo stesso giorno della festa e deliberatamente non ne aveva fatto cenno. Il vento agita le foglie, scoprendo il verde più brillante, più delicato del loro lato nascosto, e Clarissa desidera, improvvisamente e con una forza sorprendente, che Richard sia qui, accanto a lei, proprio in questo momento – non Richard come è diventato, ma il Richard di dieci anni fa: Richard l'oratore senza paura, che non si stanca mai; Richard il seccatore. Vuole la discussione che lei e Richard avrebbero avuto a proposito di Walter. Prima del declino di Richard, Clarissa litigava sempre con lui. Richard in verità si occupava di questioni di bene e di male e mai, non una sola volta in vent'anni, ha abbandonato la convinzione che la decisione di Clarissa di vivere con Sally rappresentasse se non una manifestazione prosaica di profonda corruzione, almeno una debolezza di lei, debolezza che mette sotto accusa (anche se Richard non lo ammetterebbe mai) le donne in generale, dal momento che lui sembra aver deciso da tempo che Clarissa non fa testo solo per se stessa, ma risponde dei doni e delle fragilità di tutto il suo sesso. Richard è stato sempre il suo compagno più rigoroso ed esasperante, il suo migliore amico, e se Richard fosse ancora se stesso, non devastato dalla malattia, proprio adesso potrebbero essere insieme a discutere di Walter Hardy e della ricerca dell'eterna giovinezza, di come gli uomini gay abbiano cominciato a imitare i ragazzi da cui venivano torturati al liceo. Il vecchio Richard sarebbe stato capace di parlare per mezz'ora o più delle varie possibili interpretazioni della brutta copia della Venere del Botticelli che un ragazzo di colore sta disegnando sul cemento, e se quel Richard avesse notato la busta di plastica che, spinta dal vento, si gonfia contro il cielo bianco, ondeggiando come una medusa, avrebbe continuato a parlare dei prodotti chimici e dell'interminabile corsa al guadagno, della mano che ghermisce tutto. Avrebbe parlato di come quella busta (diciamo che avesse contenuto patatine fritte e banane marce; diciamo che fosse stata buttata via sovrappensiero da una madre tormentata e indigente mentre lasciava un negozio in mezzo ai suoi bambini che litigavano) sarebbe finita nello Hudson e come da lì avrebbe galleggiato fino all'oceano, dove alla fine una tartaruga marina, una creatura in grado di vivere un centinaio d'anni, l'avrebbe scambiata per una medusa e l'avrebbe mangiata e sarebbe morta. Non sarebbe stato impossibile per Richard passare da quel soggetto direttamente a Sally, domandare della sua salute e della sua felicità con voluta formalità. Aveva l'abitudine di chiedere di Sally dopo una delle sue tirate, come se Sally fosse una sorta di rifugio banale totalmente sicuro, come se Sally stessa (Sally la stoica, la vittima delle torture, la saggia) fosse inoffensiva e insipida come può esserlo una casa su una strada tranquilla, o una buona, solida e affidabile automobile. Richard non ammetterà mai il fatto che non gli piaccia, né cambierà atteggiamento, mai: non abbandonerà mai la sua convinzione personale che Clarissa sia diventata, nel suo cuore, una tipica moglie dedita agli impegni sociali, e non baderà al fatto che lei e Sally non facciano alcuno sforzo di nascondere il loro amore per far piacere a qualcuno, o che Sally sia una donna devota, intelligente, che lavora come produttrice alla televisione pubblica, per amor del cielo – quanto ancora deve lavorare duro, quanto ancora deve fare per la società, quanto ancora deve essere drammaticamente sottopagata? Non contano i libri buoni, in perdita sicura, che Clarissa insiste a pubblicare insieme a quelli più redditizi, che le permettono di esistere. Non conta niente la politica, tutto il lavoro che fa con le amministrazioni pubbliche.

Clarissa attraversa Houston Street e pensa che dovrebbe prendere qualcosa per Evan: una piccola cosa per la sua salute precariamente riacquistata. Non fiori: i fiori sono abbastanza di cattivo gusto per i morti, ma sono disastrosi per gli ammalati. I negozi di SoHo sono pieni di vestiti per feste, di gioielli e di mobili Biedermeier: niente da offrire a un giovane uomo volitivo, brillante, che potrebbe o non potrebbe, con l'aiuto di un complesso di medicine, vivere più del breve periodo che normalmente gli resta. Cosa vogliono tutti? Clarissa supera un negozio e pensa di comprare un vestito per Julia: starebbe benissimo in quel vestitino nero con le stringhe alla Anna Magnani, ma Julia non porta vestiti, insiste a passare la giovinezza, il breve periodo in cui ognuno può permettersi di portare tutto, andandosene in giro in canottiere da uomo e scarponi di pelle con i lacci grandi quanto blocchi di carbone. (Perché sua figlia le dice così poco? Cos'è successo all'anello che Clarissa le ha regalato per il suo diciottesimo compleanno?) Ecco la piccola e bella libreria di Spring Street. Forse a Evan piacerebbe un libro. Nella vetrina ce n'è uno (uno solo!) di Clarissa, quello inglese (criminale, il fatto che lei abbia dovuto combattere per una tiratura di diecimila copie e, ben peggio, il fatto che saranno fortunati se ne venderanno cinquemila), accanto alla saga di una famiglia del Sud America che lei ha perso a vantaggio di una casa editrice più importante, che chiaramente non guadagnerà perché, per ragioni misteriose, è rispettata ma non amata. C'è la nuova biografia di Robert Mapplethorpe, le poesie di Louise Glück, ma niente sembra adatto. Sono tutti, allo stesso tempo, troppo generici e troppo specifici. Vuoi dargli il libro della sua vita, il libro che gli assegnerà un posto nel mondo, che gli farà da padre e madre, che gli darà delle armi per i cambiamenti che deve affrontare. Non ci si può presentare con dei pettegolezzi sulle celebrità, no; non si può portargli la storia di un romanziere inglese amareggiato dalla vita o le disgrazie di sette sorelle in Cile, per quanto siano scritti bene, e le probabilità che a Evan piaccia la poesia sono identiche a quelle che cominci a dipingere piatti di porcellana.

Non c'è conforto, sembra, nel mondo degli oggetti, e Clarissa teme che l'arte, anche la più grande (anche i tre volumi di poesia di Richard e il suo unico, illeggibile romanzo), appartenga decisamente al mondo degli oggetti. In piedi di fronte alla vetrina della libreria, viene assalita da un vecchio ricordo, un ramo d'albero che batte contro una finestra mentre da qualche parte (dalle stanze in basso?) una debole musica, il lento lamento di una jazz band, attacca da un fonografo. Non è il suo primo ricordo (che sembra invece riguardare una lumaca che striscia sul bordo di un marciapiede), e neanche il suo secondo (i sandali di paglia di sua madre, o forse i due ricordi sono invertiti), ma questo ricordo sembra pressante più di ogni altro, e in maniera profonda, quasi soprannaturale, confortante. Clarissa era probabilmente in una casa del Wisconsin, una delle tante che i suoi genitori affittavano per l'estate (raramente due volte la stessa – ognuna finiva per avere qualche difetto che sua madre inseriva in un racconto che si allungava sempre, *Le tribolazioni della famiglia Vaughan nel giro delle lacrime fra le vallette del Wisconsin*). Clarissa doveva avere tre o quattro anni, in una casa in cui non sarebbe mai ritornata, della quale non ha alcuna altra memoria se non questa, precisamente distinta, più chiara di ciò che le è accaduto ieri: un ramo che batte alla finestra mentre attaccano le trombe, come se il ramo, mosso dal vento, avesse in qualche modo determinato la musica. Le sembra di aver iniziato in quel momento a vivere nel mondo, a capire le promesse implicite in uno schema che è più grande della felicità umana, sebbene contenga la felicità umana insieme a ogni altra emozione. Il ramo e la musica contano per lei più di tutti i libri nella vetrina del negozio. Vuole per Evan – e per se stessa – un libro che possa contenere ciò che contiene quel singolo ricordo. Se ne sta in piedi a guardare i libri e il suo riflesso in sovrimpressione sul vetro (ha ancora un bell'aspetto, adesso è bella, invece che carina – quando cominceranno a emergere le increspature e la desolazione, le labbra grinzose del suo volto di vecchia?), e poi riprende a camminare, rimpiangendo il delizioso vestito nero che non può comprare per sua figlia, perché Julia è schiava di un'omosessuale impegnata e insiste a indossare T-shirt e anfibi. Mary Krull è una donna da rispettare, è lei stessa a non dare altra scelta, per come vive al limite dell'indigenza, per come va in prigione per le sue varie cause, per come tiene appassionate conferenze alla New York University su quella spiacevole mascherata conosciuta come

26

"genere sessuale". Vuoi che ti piaccia, combatti perché sia così, ma alla fine è troppo dispotica nella sua profondità intellettuale e morale, nella sua dimostrazione incessante di incisività,
di correttezza in giacca di pelle. Sai che ti prende in giro, in privato, per le tue comodità e le tue buffe (deve considerarle "buffe") nozioni sull'identità lesbica. Ti stanchi di essere trattata come il nemico solo perché non sei più giovane, perché vesti come ci si aspetta che tu vesta. Vuoi urlare a Mary Krull che non
fa tanta differenza; vuoi che entri nella tua testa per qualche
giorno e senta le preoccupazioni e i dispiaceri, la paura senza
nome. Credi – *sai* – che tu e Mary Krull soffrite della stessa malattia mortale, dello stesso disgusto d'anima, e con un giro del-
l'orologio in più avreste potuto essere amiche; ma al momento
lei è venuta a reclamare tua figlia, e tu siedi nel tuo confortevo-
le appartamento odiandola quanto potrebbe odiarla un qualsiasi padre di famiglia repubblicano. Il padre di Clarissa, gentile quasi fino alla trascendenza, amava vedere donne che indos-
savano vestiti neri. Suo padre si stancò, lasciò perdere i suoi argomenti persuasivi nel modo in cui spesso lasciava perdere le
discussioni, semplicemente perché era più facile mostrarsi
d'accordo. Lungo la strada, più su, a MacDougal, una produ-
zione sta girando un film in mezzo alla solita confusione di roulotte, camion di attrezzature, file di luci bianche. Ecco il mondo ordinario, un film che viene girato, un ragazzo portoricano
che tira su la serranda di un ristorante con un palo argentato.
Ecco il mondo, e tu ci vivi dentro e ne sei grata. Cerchi di essere grata.

Clarissa apre la porta del fioraio, che si blocca sempre leggermente, ed entra; è una donna alta, dalle spalle larghe, fra i mazzi di rose e giacinti, le ceste muschiose di narcisi *paperwhite*, le
orchidee che tremano sui loro steli. Barbara, che lavora nel negozio da anni, dice: "Salve." Dopo una pausa, offre la guancia
per un bacio.

"Salve," dice Clarissa. Le sue labbra toccano la pelle di Barbara, e il momento è improvvisamente, inaspettatamente perfetto. Sta in piedi in quel negozietto delizioso, con le luci basse, simile a un tempio, solenne nella sua abbondanza, nei suoi

mazzi di fiori secchi che pendono dal soffitto e dei suoi nastri che pendono sulla parete di fondo. C'era quel ramo che batteva contro la cornice della finestra, e ce n'era un altro, anche se lei doveva essere più grande, a cinque o sei anni, nella sua stanza, questo ramo coperto di foglie rosse, e lei riesce a ricordare di aver pensato, con una specie di soggezione anche allora, al ramo precedente, quello che sembrava avesse scatenato la musica nelle stanze in basso; si ricorda di aver amato quel ramo autunnale perché le ricordava il ramo precedente, che batteva contro la finestra di una casa in cui lei non sarebbe mai ritornata, che non poteva altrimenti ricordare per nessun altro particolare. Adesso lei è qui, nel negozio di fiori, dove i papaveri si ammucchiano bianchi e albicocca su steli lunghi e pelosi. Sua madre, che teneva una scatoletta di mentine bianche francesi nella borsa, arricciava le labbra e chiamava Clarissa "pazza", "una ragazza pazza", con un tono di ammirazione civettuola.

"Come stai?" chiede Barbara.

"Bene, bene," dice lei. "Facciamo una festa stasera, per un amico che ha appena vinto un premio letterario importante."

"Il Pulitzer?"

"No, si chiama Carrouthers Prize."

Barbara assume un'espressione incolore, e Clarissa capisce che va intesa come un sorriso. Barbara è sui quarant'anni, una donna pallida, grossa, che è venuta a New York per cantare l'opera. Qualcosa nel suo volto – la mascella quadrata, o gli occhi rigidi, inespressivi – ti ricorda che un centinaio di anni fa le persone avevano essenzialmente lo stesso aspetto.

"Non abbiamo granché al momento," dice. "Ci sono stati circa cinquanta matrimoni, questa settimana."

"Non mi serve molto," dice Clarissa. "Solo qualche mazzo di qualcosa." Clarissa si sente inspiegabilmente colpevole di non essere un'amica più intima di Barbara, sebbene si conoscano solo come cliente e negoziante. Clarissa compra tutti i suoi fiori da Barbara, e le ha mandato un biglietto un anno fa, quando si diceva che avesse un cancro al seno. La carriera di Barbara non è andata come previsto; si mantiene in qualche modo con il suo salario a ore (un appartamento in affitto in qualche caseggiato popolare, probabilmente con la vasca da bagno in cucina), e ha scampato il cancro, per questa volta. Per un momento la visione di Mary Krull compare sopra i gigli e le rose, preparandosi a scandalizzarsi per quanto Clarissa spenderà.

"Abbiamo delle belle ortensie," dice Barbara.

"Vediamo." Clarissa va al frigorifero e sceglie i fiori, che Barbara tira fuori dai contenitori e tiene, gocciolanti, tra le braccia. Nel diciannovesimo secolo sarebbe stata una moglie di campagna, gentile e irreprensibile, insoddisfatta, in un giardino. Clarissa sceglie peonie e gigli *stargazer*, rose color crema: non vuole le ortensie (senso di colpa, senso di colpa, sembra che non lo supererai mai) e sta valutando la possibilità degli iris (gli iris non sono, in un certo senso... superati?) quando il rumore di qualcosa di enorme che si rompe arriva dall'esterno.

"Che cos'era?" chiede Barbara. Lei e Clarissa vanno alla vetrina.

"Credo che siano quelli del film."

"Probabilmente. Hanno girato lì fuori tutta la mattina."

"Sai che cos'è?"

"No," dice, e si allontana dalla vetrina con una certa rettitudine da donna matura, stringendo le sue braccia piene di fiori, proprio come il fantasma di quella che è stata un centinaio di anni prima avrebbe potuto voltarsi all'acciottolio e al cigolio di un carro che le passava davanti, pieno di gente di città perfettamente vestita che veniva da lontano a fare il picnic. Clarissa rimane lì, guarda fuori, verso la confusione di camion e roulotte. Improvvisamente la porta di una delle roulotte si apre ed emerge una testa famosa. È una testa di donna, abbastanza lontana, vista di profilo, come la testa su una moneta, e mentre Clarissa non riesce immediatamente a identificarla (Meryl Streep? Vanessa Redgrave?) sa senza ombra di dubbio che la donna è una star cinematografica. Lo sa dalla sua aura di regale sicurezza, e dall'atteggiamento sussiegoso con cui un membro della troupe le parla (Clarissa non riesce a sentire) del motivo del rumore. La testa si ritira in fretta; la porta della roulotte si chiude di nuovo, ma la donna lascia dietro di sé un senso inconfondibile di vigile protesta, come se un angelo avesse brevemente toccato la superficie del mondo con un piede chiuso in un sandalo, avesse chiesto se ci fosse qualche problema e poi, quando gli è stato detto che va tutto bene, fosse ritornato al suo posto nell'etere con scettica gravità, dopo aver ricordato ai bambini della terra che gli viene concesso appena di badare alle loro vite, e che ogni ulteriore leggerezza non passerà inosservata.

La signora Woolf

La signora Dalloway disse qualcosa (cosa?) e prese i fiori da sola.

È la periferia di Londra. È il 1923.

Virginia si sveglia. Questo potrebbe essere un altro modo di iniziare, certo, con Clarissa che va a fare una commissione un giorno di giugno, al posto dei soldati che marciano per deporre la corona a Whitehall. Ma è l'inizio giusto? È un po' troppo ordinario? Virginia se ne sta distesa tranquilla a letto, e il sonno la riprende così velocemente che non si accorge neanche di riaddormentarsi. Le sembra improvvisamente di non essere più a letto, ma in un parco: un parco implausibilmente verdeggiante, verde più del verde – una visione platonica di un parco, nello stesso tempo familiare e depositario di un segreto, che sembra sottintendere, come fanno tutti i parchi, che mentre l'anziana signora con lo scialle sonnecchia sulla panca, qualcosa di vivo e di antico, qualcosa che non è buono né cattivo, che semplicemente gioisce in modo permanente, unisce tutto un mondo verde fatto di fattorie e prati, di foreste e parchi. Virginia si muove per il parco quasi senza camminare; galleggia attraverso di esso, leggera come una piuma di sola percezione, senza corpo. Il parco le si apre davanti con le sue distese di gigli e peonie, i suoi sentieri di ghiaia costeggiati da rose color crema. Una fanciulla di pietra, i cui contorni sono stati smussati dal tempo, svetta sul bordo di uno specchio d'acqua chiara e riflette guardando nell'acqua. Virginia si muove per il parco come spinta da un cuscino d'aria; sta cominciando a capire che un altro parco è nascosto sotto questo, un parco del mondo sotterraneo, più meraviglioso e terribile di questo: è la radice da cui crescono questi prati e questi alberi. È la vera idea del parco, ed è semplice quanto bella. Adesso può vedere delle persone. Un uomo cinese che si china a raccogliere qualcosa tra l'erba, una ragazzina che aspetta. Più su, su un cerchio di terra rovesciato da poco, una donna canta.

Virginia si sveglia di nuovo. È qui, nella sua stanza da letto, a Hogarth House. Una luce grigia, del colore dell'acciaio, riempie la stanza, si sparge con una corposità grigio-bianca, liquida, sul suo copriletto. Colora d'argento le pareti verdi. Ha sognato un parco e ha sognato una frase per il suo nuovo libro – che cos'era? Fiori: qualcosa che ha a che fare con i fiori. O qualcosa che ha a che fare con un parco? C'era qualcuno che cantava? No, la frase è persa, e non importa, davvero, perché lei conserva la sensazione che ha lasciato. Sa di potersi alzare e scrivere.

Lascia il letto e va in bagno. Leonard è già in piedi; potrebbe già essere al lavoro. Non guarda direttamente nello specchio ovale che pende sopra il lavandino. È consapevole dei suoi movimenti riflessi nel vetro, ma non permette a se stessa di guardare. Lo specchio è pericoloso: qualche volta le mostra la scura presenza fatta d'aria che si accompagna al suo corpo, prende la sua forma, ma resta indietro, a guardarla, con occhi porcini e un respiro umido, affannoso. Si lava il viso e non guarda, certamente non stamattina, non quando il lavoro la aspetta e lei è ansiosa di andargli incontro come sarebbe ansiosa di prendere parte a una festa, una festa che è già cominciata dabbasso, una festa piena di intelligenza e bellezza, certamente, ma piena anche di qualcosa di più sottile, qualcosa di misterioso e dorato, una dispersione di profonda celebrazione, di vita in sé, mentre sete frusciano su pavimenti tirati a lucido e segreti vengono sussurrati sotto la musica. Lei, Virginia, potrebbe essere una ragazza con il suo vestito nuovo, sul punto di andare giù a una festa, sul punto di apparire sulle scale, fresca e piena di speranza. No, non guarderà nello specchio. Finisce di lavarsi il viso.

Quando ha terminato in bagno, scende nella mattina scura e quieta dell'ingresso. Indossa la sua vestaglia azzurra. La notte è ancora qui. Hogarth House è sempre notturna, nonostante il suo caos di fogli e libri, i cuscini dai colori brillanti e i tappeti persiani. Non è scura in sé, ma sembra che venga illuminata controluce, anche quando il pallido primo sole splende tra le tende, e automobili e carri rombano passando su Paradise Road.

Virginia si versa una tazza di caffè in soggiorno, scende piano giù, ma non va da Nelly in cucina. Stamattina vuole andare direttamente a lavorare, senza rischiare di esporsi alle contrattazioni e alle lagnanze di Nelly. Potrebbe essere un buon giorno; ha bisogno di essere trattato con cura. Tenendo in equilibrio la tazza sul piattino, va nella stanza della stamperia. Leonard è seduto alla scrivania, a leggere bozze. È ancora troppo presto per Ralph o Marjorie.

Leonard solleva gli occhi su di lei, e conserva ancora, per un momento, l'espressione accigliata che riserva alle bozze. È un'espressione di cui lei si fida e ha paura: gli occhi di lui splendenti e impenetrabilmente scuri sotto le pesanti sopracciglia, gli angoli della bocca all'ingiù in un atteggiamento di giudizio che è severo ma nient'affatto petulante o banale – il cruccio di una divinità, che vede tutto ed è stanca, e spera il meglio dall'umanità, sapendo già quanto in realtà aspettarsi. È l'espressione con cui affronta tutte le opere scritte, comprese, e in particolar modo, quelle di lei. Mentre la guarda, però, l'espressione si dissolve quasi immediatamente e viene rimpiazzata dal volto più morbido, più gentile, del marito che le ha fatto da infermiere nei momenti peggiori, che non chiede quello che lei non può dare e che cerca di farle bere, talvolta con successo, un bicchiere di latte ogni mattina alle undici.

"Buongiorno," dice lei.

"Buongiorno. Com'è stato il tuo sonno?"

"*Com'è stato* il tuo sonno?" chiede, come se il sonno non fosse un atto, ma una creatura che può essere mansueta o feroce. Virginia dice: "Senza avvenimenti. Quelle sono di Tom?"

"Sì."

"Come sono?

Lui si acciglia di nuovo. "Ho già trovato un errore, e ancora non ho finito la seconda pagina."

"Un errore all'inizio capita quasi sempre. È ancora troppo presto stamattina per essere così irritabile, non credi?"

"Hai fatto colazione?"

"Sì."

"Bugiarda."

"Prendo il caffè con un po' di panna. Mi basta."

"Non ti basta per niente. Ti mando Nelly con una focaccina e della frutta."

"Se mandi Nelly a interrompermi, non rispondo delle mie azioni."

"Devi mangiare," dice lui. "Non è necessario che mangi tanto."

"Mangerò più tardi. Adesso vado a lavorare."

Lui esita, poi annuisce borbottando. Non vuole interferire con il suo lavoro, non lo farà. Però Virginia che si rifiuta di mangiare non è un buon segno.

"Pranzerai," dice lui. "Un pranzo vero: minestra, pudding e tutto il resto. Con la forza, se è necessario."

"Pranzerò," dice lei, con impazienza, ma senza vera rabbia. È alta, smunta, meravigliosa nella sua vestaglia, con il caffè che fuma in mano. A volte lui resta ancora senza parole di fronte a lei. Pensa che sia la donna più intelligente d'Inghilterra. I suoi libri verranno letti nei secoli. Lui lo crede con più forza di chiunque altro. Ed è sua moglie. È Virginia Stephen, pallida e alta, sorprendente come un Rembrandt o un Velázquez, che compare vent'anni prima nella stanza di suo fratello con un vestito bianco, ed è Virginia Woolf, di fronte a lui, adesso. È invecchiata in maniera drammatica, proprio quest'anno, come se uno strato d'aria fosse filtrato da sotto la sua pelle. Adesso è indurita, stanca. Ha cominciato a sembrare scolpita in un marmo grigio-bianco, molto poroso. È ancora regale, ancora squisitamente costruita, ancora in possesso della sua formidabile radiosità lunare, ma improvvisamente non è più bella.

"Va bene," dice lui. "Continuo a darci dentro qui."

Lei ritorna su furtivamente, in modo da non attirare l'attenzione di Nelly (perché si sente sempre così circospetta rispetto ai domestici, così colpevole di qualche crimine?), va nel suo studio, chiude piano la porta. Al sicuro. Apre le tende. Fuori, dietro il vetro, Richmond continua a sognare se stessa, civile, in pace. I fiori e le siepi sono curati; gli infissi ridipinti prima che ne abbiano veramente bisogno. I vicini, che lei non conosce, fanno tutto quello che fanno, qualunque cosa sia, dietro le tende alla veneziana e le persiane delle loro ville di mattoni rossi. Lei riesce solo a pensare a stanze in penombra e a cibo ordinario, troppo cotto. Si stacca dalla finestra. Se riesce a rimanere forte e lucida, se riesce a continuare a pesare almeno sessanta chili, Leonard si lascerà convincere a ritornare a Londra. La cura del riposo, questi anni tra le distese di delfinio e le ville rosse dei sobborghi, verrà decretata un successo e lei sarà giudicata di nuovo pronta per la città. Il pranzo, sì: pranzerà. Dovrebbe anche fare colazione, ma non riesce a sopportare l'interruzione che ne conseguirebbe, avere a che fare con l'umore di Nelly. Scriverà per circa un'ora, poi mangerà qualcosa. Non mangiare è un vizio, un tipo di droga – con lo stomaco vuoto si sente veloce e pulita, lucida di mente, pronta per una battaglia. Sorseggia il caffè, lo mette giù, stende le braccia. Questa è una delle esperienze più singolari: svegliarsi in quello che sembra un buon giorno, prepararsi al lavoro, ma non cominciarlo ancora veramente. Questo momento racchiude infinite possibilità, intere ore a venire. La mente ronza. Questa mattina può penetrare la foschia, i condotti intasati, raggiungere l'oro. Riesce a sentirlo dentro di sé, una seconda se stessa indescrivibile, o piuttosto una se stessa parallela, più pura. Se fosse religiosa la chiamerebbe "l'anima". È più della somma del suo intelletto e delle sue emozioni, più della somma delle sue esperienze, anche se corre attraverso tutte e tre come vene di metallo brillante. È una facoltà interiore che riconosce i misteri che animano il mondo, perché è fatta della stessa sostanza, e quando è molto fortunata lei è capace di scrivere attingendo direttamente da quella facoltà. Scrivere in quello stato è la soddisfazione più profonda che conosca. Ma la sua capacità di accedervi va e viene senza preavviso. Può impugnare la penna e seguirla con la mano mentre si muove per il foglio; può impugnare la penna e scoprire che è solo lei: una donna in vestaglia che regge una penna, timorosa e incerta, con una competenza solo superficiale e nessuna idea su dove cominciare o cosa scrivere.

Impugna la penna.

La signora Dalloway disse che avrebbe comprato lei i fiori.

La signora Brown

La signora Dalloway disse che avrebbe comprato lei i fiori.

Lucy aveva fin troppo lavoro. Le porte dovevano essere tolte dai cardini; stavano arrivando gli uomini di Rumpelmayer. E poi, pensò Clarissa Dalloway, che bella mattina, fresca come se fosse stata pensata per dei bambini su una spiaggia.

È Los Angeles. È il 1949.

Laura Brown sta cercando di perdersi. No, non è esattamente così – sta cercando di rimanere in sé entrando in un mondo parallelo. Tiene il libro a faccia in giù sul petto. Già la sua stanza da letto (no, la "loro" stanza da letto) sembra più densamente popolata, più vera, perché un personaggio di nome "signora Dalloway" è in cammino per comprare dei fiori. Laura dà uno sguardo all'orologio sul comodino. Le sette sono passate da un pezzo. Perché ha comprato questo orologio, questa cosa orribile, con il quadrante verde squadrato in un sarcofago rettangolare di bachelite nera – come ha mai potuto pensare che fosse una buona idea? Non dovrebbe permettere a se stessa di leggere, non proprio stamattina, non il giorno del compleanno di Dan. Dovrebbe essere fuori dal letto, aver già fatto la doccia ed essersi vestita, a preparare la colazione per Dan e Richie. Riesce a sentirli giù: suo marito che si prepara la colazione, che dà da mangiare a Richie. Dovrebbe essere lì, no? Dovrebbe essere ai fornelli con la sua vestaglia nuova, pronta a parlare di tante cose semplici e incoraggianti. Eppure, quando ha aperto gli occhi qualche minuto fa (già dopo le sette!) – mentre ancora viveva nel suo sogno, dove un macchinario pulsava molto in lontananza, un battito costante come di un gigantesco cuore meccanico che poi sembrava farsi più vicino –, ha avvertito quella sensazione umida intorno a lei, la sensazione di non trovarsi in nessun posto, e ha capito che sarebbe stata una giornata difficile. Ha capito che avrebbe avuto problemi a credere in se stessa, nelle stanze della casa, e quando ha gettato uno sguardo a questo nuovo libro sul comodino, impilato sull'altro che ha finito la scorsa notte, lo ha preso automaticamente, come se leggere fosse il solo e naturale compito con cui iniziare la giornata, la sola via praticabile per gestire il passaggio dal sonno al dovere. Dal momento che aspetta un bambino, le sono concesse queste mancanze. Le è concesso, per adesso, leggere senza ragione, oziare a letto, piangere o infuriarsi per un nonnulla.

Riparerà alla mancata colazione preparando per Dan una perfetta torta di compleanno, stirando il vestito buono, disponendo un grosso mazzo di fiori (rose?) al centro della tavola e circondandolo di regali. Dovrebbe compensare, no?

Leggerà ancora una pagina. Ancora una pagina, per calmarsi e trovare un suo posto, poi si alzerà dal letto.

Che spasso! Che salto! Perché così le era sempre sembrato quando, con il breve cigolio dei cardini, che riusciva ancora a sentire, aveva spalancato le portefinestre e si era tuffata a Bourton nell'aria. Com'era fresca, com'era calma, più tranquilla di questa, naturalmente, l'aria al mattino presto, come il flusso di un'onda, il bacio di un'onda: fredda e pungente, eppure (per una ragazza di diciott'anni com'era lei) solenne, perché sentiva, stando lì contro la finestra aperta, che qualcosa di brutto stava per accadere; guardava i fiori, gli alberi con il fumo che gli si avvolgeva intorno e i corvi che volavano alti, e ricadevano giù; era lì in piedi a guardare, finché Peter Walsh disse: "Vi ispirate con i vegetali?" – era così? – "Preferisco gli uomini ai cavoli" – era così, forse? Doveva averlo detto una mattina a colazione quando lei era uscita sulla terrazza – Peter Walsh. Sarebbe rientrato presto dall'India, uno di questi giorni, giugno o luglio, non ricordava, perché le sue lettere erano terribilmente noiose; era ciò che diceva da ricordare; i suoi occhi, il suo coltellino tascabile, il suo sorriso, la sua scontrosità, e quando milioni di cose erano ormai completamente sva-

nite, che cosa strana!, restavano poche parole, come queste sui ca-
volfiori.

Inspira profondamente. È così bello. È molto più di... Be', di
quasi tutto, in realtà. In un altro mondo, avrebbe potuto trascorrere tutta la vita a leggere. Ma questo è il nuovo mondo, il
mondo salvato dalla guerra – non c'è molto spazio per l'inatti-
vità. Ci sono stati grandi rischi, e grandi perdite; sono morte
tante persone. Meno di cinque anni prima, si credeva che lo
stesso Dan fosse morto, ad Anzio, e quando due anni più tardi
si scoprì che era sopravvissuto (lui e un qualche povero ragazzo di Arcadia avevano lo stesso nome) sembrava che fosse re-
suscitato. Sembrava che fosse ritornato, ancora con il suo buon
carattere, ancora con il suo odore, dal regno dei morti (le storie che si sentivano allora sull'Italia, su Saipan e Okinawa, sulle madri giapponesi che uccidevano i figli e loro stesse piuttosto che cadere prigioniere): quando ritornò in California, venne accolto come qualcosa in più di un semplice eroe. Avrebbe
potuto (parole della sua stessa, preoccupata madre) avere
chiunque, qualsiasi ornamento da vincitore avesse voluto chiedere, qualsiasi ragazza vivace e accondiscendente, ma spinto da
chissà quale oscuro e forse perverso demone aveva baciato,
corteggiato e chiesto in moglie la sorella maggiore del suo migliore amico: quella che era un topo di biblioteca, quella con
l'aria da straniera, con gli occhi troppo vicini e il naso da antica romana, che non era mai stata corteggiata o fatta oggetto di
attenzioni, che era sempre stata lasciata sola, a leggere. Cosa
poteva dire lei, se non "sì"? Come poteva respingere un ragazzo bello, di buon cuore, praticamente un membro della famiglia, che era ritornato dal regno dei morti?

Così adesso lei è Laura Brown. Laura Zielski, la ragazza solitaria, la lettrice instancabile, è scomparsa, e al suo posto c'è
Laura Brown.

Una pagina, decide: solo una. Non è ancora pronta. I compiti che la aspettano (infilarsi la vestaglia, spazzolarsi i capelli,
scendere in cucina) sono ancora troppo sottili, troppo elusivi.
Si concederà ancora un minuto a letto, prima di fare il suo ingresso nel giorno. Si concederà solo un po' di tempo in più.

Viene presa da un'ondata di emozione, una mareggiata che sale da sotto il suo seno e la tiene sospesa, la fa galleggiare delicatamente, come se fosse una creatura marina recuperata dalla spiaggia dove si era arenata – come se fosse ritornata da un regno di schiacciante gravità al suo vero mezzo, il risucchio e il rigonfiamento dell'acqua salata, quella brillantezza priva di peso.

Si irrigidì un po' sul bordo del marciapiede, mentre aspettava che passasse il furgone di Durtnall. Una donna affascinante, la giudicò Scrope Purvis (che la conosceva come si conoscono i vicini di casa a Westminster); aveva in sé qualcosa che ricordava un uccello, una gazza, verde-azzurra, leggera, vivace sebbene avesse più di cinquant'anni e si fosse molto incanutita in seguito alla malattia. Eccola lì, appollaiata, non lo vede nemmeno, in attesa di attraversare la strada, tutta impettita.

Perché l'aver vissuto a Westminster – da quanti anni adesso? Più di venti – conferiva anche in mezzo al traffico, anche svegliandosi di notte, una particolare tranquillità, anzi una solennità, Clarissa ne era sicura; una pausa impossibile da descrivere; una sospensione (ma questo potrebbe essere il suo cuore, colpito, dicevano, dall'influenza), prima che suoni il Big Ben. Ecco! Rintocca. Prima un avviso, musicale. Poi l'ora, irrevocabile. I cerchi di piombo dissolti nell'aria. Che stupidi siamo, pensò, attraversando Victoria Street. Solo il cielo sa perché la amiamo così, la vediamo così, la mettiamo in piedi così, costruendoci intorno, demolendo, ricreando daccapo ogni momento; ma le donne più sciagurate, i disgraziati più emarginati seduti sui gradini delle case (a bere fino all'estremo) fanno lo stesso; non si può fare altrimenti, ne era sicura, neanche con un atto del Parlamento, e per questa precisa ragione: amano la vita. Negli occhi della gente, nel modo in cui cammina seria, veloce, a fatica; nel muggito e nel rombo, i carri, le automobili, gli omnibus, i furgoni, gli uomini-sandwich che ondeggiano e si agitano; bande di ottoni; organetti; nel trionfo e nella canzoncina e nella strana nota alta, un canto, di qualche aeroplano sopra la sua testa c'era quello che amava, la vita, Londra, questo momento di giugno.

Com'è possibile, si chiede Laura, che una persona capace di scrivere una frase come quella – capace di sentire che tutto era racchiuso in una frase come quella – sia arrivata a uccidersi? Che hanno di sbagliato le persone nel mondo? Facendo appello alla sua decisione, Laura chiude il libro e lo appoggia sul comodino. Non è vero che non le piace suo figlio; non è vero che non le piace suo marito. Si alzerà e sarà carina.

Almeno, pensa, non legge gialli o romanzi d'amore. Almeno continua a migliorarsi. Al momento sta leggendo Virginia Woolf, tutta Virginia Woolf, libro dopo libro – è affascinata dall'idea di una donna come lei, una donna di tale brillantezza, tale stranezza, tale dolore incommensurabile; una donna di genio che si è comunque messa una pietra in tasca e si è annegata in un fiume. A Laura piace pensare (è uno dei suoi segreti più gelosamente custoditi) che anche lei abbia un po' di brillantezza, appena una traccia, sebbene sappia che probabilmente la maggior parte delle persone se ne va in giro con simili speranze chiuse dentro, come tanti minuscoli pugni, che non vedono mai la luce. Si chiede, mentre spinge un carrello attraverso il supermercato o si fa pettinare i capelli, se tutte le altre donne non stiano pensando, a un certo livello o a un altro, la medesima cosa: ecco lo spirito brillante, la donna dei dolori, la donna delle gioie trascendenti, che preferirebbe essere altrove, che ha acconsentito a sbrigare compiti semplici ed essenzialmente sciocchi, esaminare i pomodori, sedere sotto un casco asciugacapelli, perché questa è la sua arte, questo è il suo dovere. Perché la guerra è finita, il mondo è sopravvissuto, e noi siamo qui, tutti, a mettere su casa, a fare e a crescere bambini, a creare non solo libri o dipinti, ma un intero mondo – un mondo di ordine e armonia dove i bambini sono al sicuro (se non felici), dove uomini che hanno visto orrori al di là di qualsiasi immaginazione, che hanno agito coraggiosamente e impeccabilmente, tornano a casa per trovare finestre illuminate, profumi, piatti e tovaglioli.

Che spasso! Che salto!

Laura si alza dal letto. È una mattina di giugno, calda e bianca. Riesce a sentire suo marito che si muove nelle stanze dabbasso. Un coperchio di metallo si chiude su una pentola. Prende la vestaglia di ciniglia chiara dalla poltrona che hanno rifoderato da poco, ed ecco la poltrona che compare, tozza e grassa, con le falde, il tessuto rigonfio color salmone tenuto fermo da un cordoncino e da bottoni color salmone a forma di diamante. Nel caldo del mattino di giugno, con la vestaglia tirata via, la poltrona con il suo sfacciato rivestimento nuovo sembra sorpresa di realizzare che è una poltrona.

Laura si lava i denti, si spazzola i capelli e comincia a scendere. Si ferma alcuni gradini prima della fine della scala, ascolta, aspetta; viene di nuovo presa (sembra stia peggiorando) da una sensazione di sogno, come se si trovasse dietro le quinte e fosse sul punto di andare in scena e recitare in una commedia per cui non è vestita in maniera adatta e per la quale non ha provato a sufficienza. Si chiede che cosa ci sia di sbagliato in lei. Questo è suo marito in cucina; questo è suo figlio piccolo. Tutto quello che l'uomo e il bambino vogliono da lei è la sua presenza e, naturalmente, il suo amore. Domina il desiderio di ritornarsene al piano di sopra, nella sua stanza, nel suo letto. Domina la sua irritazione al suono della voce del marito, che dice qualcosa a Richie sui tovaglioli (perché la voce di lui le ricorda talvolta una patata che viene grattugiata?). Scende gli ultimi tre scalini, attraversa lo stretto ingresso, entra in cucina. Pensa alla torta che cucinerà, ai fiori che comprerà. Pensa a rose circondate di regali.

Suo marito ha fatto il caffè, ha versato nella tazza cereali per sé e per il figlio. Sul piano del tavolo una dozzina di rose bianche si presentano nella loro bellezza complessa, leggermente sinistra. Attraverso il vaso di vetro trasparente, Laura riesce a vedere le bollicine, piccole come granelli di sabbia, attaccate allo stelo. Accanto alle rose, la scatola dei cereali e il cartone del latte con le loro parole e le loro figure.

"Buongiorno," dice suo marito, sollevando le sopracciglia come se fosse sorpreso ma contento di vederla.

"Buon compleanno," dice lei.

"Grazie."

"Oh, Dan. Rose. Per il *tuo* compleanno. Sei fantastico, davvero."

Lei capisce che lui ha capito che è arrabbiata. Sorride.

"Non avrebbe senso senza di te, no?" dice lui.

41

"Ma avresti dovuto svegliarmi. Davvero."

Lui guarda Richie, solleva le sopracciglia di un altro centimetro, così che la sua fronte si increspa e i capelli neri e lucidi si muovono leggermente. "Pensavamo che fosse meglio che tu dormissi ancora un po', non è vero?" dice lui.

Richie, tre anni, dice: "Sì." Suo marito annuisce con forza.

Indossa un pigiama blu. È felice di vederla, più che felice: è salvato, risorto, travolto dall'amore. Laura cerca nella tasca della vestaglia le sigarette; ci ripensa, e porta la mano alla testa. È quasi perfetto, è quasi abbastanza: essere una giovane madre in una cucina gialla che si tocca i capelli neri e spessi, incinta di un altro bambino. C'è l'ombra delle foglie sulle tende; c'è il caffè appena fatto.

"Buongiorno, microbo," dice a Richie.

"Sto mangiando i cereali," dice lui. E ridacchia. Si potrebbe quasi dire che le lancia uno sguardo malizioso. È palesemente infatuato di lei; è comico e tragico nel suo amore disperato. La fa pensare ogni tanto a un topo che canta serenate d'amore sotto la finestra di una gigantessa.

"Bene," risponde lei. "Molto bene."

Lui annuisce di nuovo, come se condividessero un segreto.

"Ma veramente..." dice a suo marito.

"Ma perché avrei dovuto svegliarti?" risponde lui. "Perché non avresti dovuto dormire?"

"È il tuo *compleanno*," dice lei.

"Hai bisogno di riposo."

Le dà dei colpetti sulla pancia, con cautela ma con una certa forza, come se fosse il guscio di un uovo alla coque. Non si vede ancora niente: le uniche manifestazioni sono un certo senso di nausea e una debole ma distinta agitazione interna. Lei, il marito e il figlio abitano in una casa in cui nessuno ha vissuto prima di loro. Fuori dalla casa c'è un mondo in cui gli scaffali sono ben forniti, dove le onde radio sono piene di musica, dove uomini giovani camminano di nuovo in strada, uomini che hanno conosciuto la privazione e una paura peggiore della morte, che hanno volontariamente rinunciato ai loro primi vent'anni e adesso, pensando ai trenta e oltre, non hanno più

42

tempo di cui privarsi. L'allenamento alla guerra offre loro qualcosa di buono in cambio. Sono magri e forti. Si svegliano all'alba, senza lamentarsi.

"Mi piace prepararti la colazione," dice Laura. "Mi fa sentire bene."

"La colazione posso prepararla io. Solo perché mi devo svegliare all'alba non significa che devi farlo anche tu."

"Ma voglio farlo."

Il frigorifero borbotta. Un'ape batte pesantemente, insistentemente contro il vetro di una finestra. Laura prende il pacchetto di Pall Mall dalla tasca della vestaglia. Ha tre anni più di lui (c'è qualcosa di vagamente indecoroso in questa differenza, qualcosa di vagamente imbarazzante): una donna dalle spalle larghe, spigolosa e scura, con l'aria da straniera, sebbene la sua famiglia abbia cercato di prosperare in questo paese, fallendo, per più di cent'anni. Tira fuori una sigaretta dal pacchetto, cambia idea, la rimette a posto.

"Va bene," dice lui. "Se davvero vuoi, domani ti sveglio alle sei."

"Bene."

Si versa una tazza del caffè fatto da lui. Con la tazza fumante in mano, torna dal marito e gli bacia la guancia. Lui le dà qualche colpetto sul fondoschiena, con affetto e senza badarle. Non sta più pensando a lei. Sta pensando al giorno che lo aspetta: il viaggio in auto in centro, la torpida quiete dorata di Wilshire Boulevard, dove tutti i negozi sono ancora chiusi e solo le persone più cordiali e diligenti, giovani che si svegliano presto come lui, si muovono attraverso i raggi del sole ancora non toccati dallo smog quotidiano. Il suo ufficio sarà silenzioso, le macchine per scrivere nell'angolo delle segretarie ancora coperte dal telo, e lui e alcuni altri uomini della sua stessa età avranno un'ora intera, e forse qualcosa in più, per dedicarsi al lavoro di scrivania prima che i telefoni comincino a squillare. A volte gli sembra intollerabilmente bello che lui possa avere tutto questo: un ufficio e una nuova casa con due stanze da letto, responsabilità e decisioni, pranzi veloci e allegri con altri uomini.

"Le rose sono belle," gli dice Laura. "Come hai fatto a trovarle così presto?"

"La signora Gar è in negozio dalle sei. Ho solo continuato a battere sulla vetrina finché non mi ha fatto entrare." Guarda l'orologio al polso, sebbene sappia già che ora è. "Ehi, devo andare."

"Buona giornata."

"Anche a te."

"Buon compleanno."

"Grazie."

Si alza. Per un po' sono completamente assorbiti dal rituale della sua partenza: prendere la giacca e la valigetta, scambiarsi baci e saluti; lui di spalle, mentre attraversa il prato fino al vialetto, Laura e Richie da dietro la porta a zanzariera. Il loro prato, straordinariamente innaffiato, è di un verde brillante, quasi innaturale. Laura e Richie rimangono lì come spettatori a una parata mentre l'uomo guida la Chevrolet verde-azzurro giù per il corto vialetto e poi nella strada. Lui saluta un'ultima volta, allegramente, da dietro il volante.

"Bene," dice lei, quando l'automobile è scomparsa. Il figlio la guarda in adorazione e in attesa. Lei è il principio animatore, la vita della casa. A volte le stanze sono più grandi di quanto dovrebbero essere; a volte, improvvisamente, contengono cose che lui non ha mai visto prima. La guarda, e aspetta.

"Bene, allora," dice lei.

Eccola, la transizione quotidiana. In presenza di suo marito, è più nervosa, ma meno spaventata. Sa come agire. Sola con Richie a volte si sente alla deriva – lui è se stesso in maniera così totale, così convincente. Vuole ciò che vuole con tale avidità. Piange misteriosamente, fa richieste indecifrabili, la corteggia, la supplica, la ignora. Sembra, quasi sempre, che aspetti di vedere cosa farà lei. Lei sa, o almeno sospetta, che altre madri di bambini piccoli hanno un insieme di regole e, più precisamente, un costante sentimento materno che le guida nell'amministrazione dei giorni trascorsi da sole con un bambino. Quando suo marito è qui, lei può farcela. Riesce a vedere lui che la guarda, e sa quasi istintivamente come trattare il bambino con decisione e tenerezza, con un'affezionata disinvoltura materna che sembra priva di qualsiasi sforzo. Sola con il bambino, invece, si smarrisce. Non riesce a ricordarsi sempre come dovrebbe comportarsi una madre.

"Devi finire di fare colazione," gli dice.

"Va bene," dice lui.

Ritornano in cucina. Suo marito ha lavato la sua tazza, l'ha asciugata, l'ha messa via. Il bambino si mette a mangiare con una certa rigidità da trattore, qualcosa che ha più a che fare con l'obbedienza che con l'appetito. Laura si versa una tazza di caffè, si siede a tavola. Si accende una sigaretta.

... nel trionfo e nella canzoncina e nella strana nota alta, un canto, di qualche aeroplano sopra la sua testa c'era quello che amava, la vita, Londra, questo momento di giugno.

Soffia una grande nuvola grigia di fumo. È così stanca. È stata sveglia fino alle due, a leggere. Si tocca la pancia – fa male al bambino il fatto che dorma così poco? Non ha chiesto niente al dottore a questo proposito; ha paura che lui le dica di smettere completamente di leggere. Si ripromette di leggere meno stanotte. Andrà a dormire per mezzanotte, al più tardi.

Dice a Richie: "Indovina cosa faremo oggi? Faremo una torta per il compleanno di papà. Oh, che grande lavoro ci aspetta!"

Lui annuisce con gravità, giudiziosamente. Sembra ci sia qualcosa che non lo convince.

Lei dice: "Gli faremo la torta più bella che abbia mai visto. La più bella di gran lunga. Non credi che sia una bella idea?"

Di nuovo, Richie annuisce. Aspetta di vedere cosa succederà. Laura lo guarda attraverso la ramificazione serpeggiante del fumo della sigaretta. Non andrà di sopra, e non ritornerà al suo libro. Resterà lì. Farà tutto ciò che le viene richiesto, e anche di più.

La signora Dalloway

Clarissa esce con le braccia cariche di fiori su Spring Street. Immagina Barbara ancora nella fresca penombra, lontana dalla porta d'ingresso, che continua a vivere in quello che Clarissa non può fare a meno di pensare sia il passato (deve avere a che fare, in un certo senso, con il dolore di Barbara e con lo scaffale dei nastri sulla parete di fondo), mentre lei invece cammina nel presente, entra in tutto questo: il ragazzo cinese che procede sbandando su una bicicletta; il numero 281 scritto in oro su un vetro scuro; i pochi piccioni con le zampe del colore delle gomme per cancellare (un uccello era entrato dalla finestra nella sua aula della quarta elementare, una cosa violenta, terribile); Spring Street; e poi lei, con un enorme mazzo di fiori. Passerà dall'appartamento di Richard per vedere come sta (inutile telefonare: non risponde mai). Ma prima si ferma, in attesa, non troppo vicino alla roulotte da cui è emersa la testa famosa. Si è radunata una piccola folla, per la maggior parte turisti, e Clarissa si sistema accanto a due ragazze, una con i capelli tinti giallo canarino e l'altra con i capelli platino. Clarissa si chiede se davvero volessero suggerire, cosa che fanno con molta evidenza, l'idea del sole e della luna.

Il Sole dice alla Luna: "Era Meryl Streep, sicuramente Meryl Streep."

Clarissa, a dispetto di se stessa, è eccitata. Aveva ragione. C'è una soddisfazione sorprendentemente grande nel sapere che la sua visione viene condivisa da un'altra persona.

"Per niente," dice la Luna. "Era Susan Sarandon."

Non era Susan Sarandon, pensa Clarissa. Poteva essere Vanessa Redgrave, ma non Susan Sarandon.

"No," dice il Sole. "Era la Streep. Dammi retta."

"Non era Meryl Streep."

"Sì. Cazzo, se lo era."

Clarissa se ne sta in piedi, colpevole, con i fiori in mano, sperando che la star si manifesti di nuovo, imbarazzata dal suo stesso interesse. Non ha l'abitudine di strisciare di fronte alle celebrità, non più della maggior parte delle persone, ma non può fare a meno di sentirsi catturata dall'aura della fama – più della fama, vera immortalità – che comporta la presenza di una star in una roulotte all'angolo fra MacDougal e Spring Street. Queste due ragazze che stanno accanto a Clarissa, vent'anni, se non più giovani, spudoratamente forti, abbracciate l'una all'altra, cariche di borse colorate di negozi che vendono merce scontata... queste due ragazze cresceranno, diventeranno donne di mezz'età e poi vecchie, rinsecchendosi o gonfiandosi; i cimiteri in cui saranno seppellite alla fine andranno in rovina, con l'erba che cresce libera, brucata di notte dai cani, e quando tutto ciò che rimarrà di esse sarà qualche otturazione d'argento persa sottoterra, la donna della roulotte, che sia Meryl Streep o Vanessa Redgrave, o anche Susan Sarandon, sarà ancora conosciuta. Esisterà negli archivi, nei libri; la sua voce registrata verrà conservata insieme ad altre reliquie preziose e venerate. Clarissa si concede di restare ancora lì, stupida come una qualsiasi altra fan, per qualche altro minuto, con la speranza di veder emergere la star. Sì, solo qualche minuto ancora, prima che l'umiliazione diventi semplicemente troppa da sopportare. Rimane accanto alla roulotte con i fiori. Osserva la porta. Quando sono trascorsi diversi minuti (quasi dieci, anche se odia ammetterlo), se ne va all'improvviso, con indignazione, come se l'avessero presa in giro, e si incammina per la breve strada che porta all'appartamento di Richard.

Questo quartiere una volta era il centro di qualcosa di nuovo e di selvaggio, qualcosa di indecente: una parte della città dove il suono delle chitarre proveniva dai bar e dai caffè per tutta la notte, dove i negozi che vendevano vestiti e libri avevano l'odore che lei immaginava avessero i bazar arabi. Incenso e opulenza, sporcizia e polvere, un tipo di legno (cedro? canfora?), qualcosa che si decompone morbidamente, sontuosamente, e dove sembrava possibile, decisamente possibile, che passando dalla porta sbagliata o dall'ingresso sbagliato si potesse incontrare la morte: non solo la minaccia familiare di una rapina o di una violenza fisica, ma qualcosa di più perverso. Qualcosa capace di trasformarti in maniera più permanente. Qui, proprio qui, a quest'angolo, si era fermata con Richard quando lui aveva diciannove anni – quando Richard era un ragazzo dalla corporatura solida, l'espressione dura, non proprio bello, con i capelli scuri e un collo bianchissimo, incredibilmente lungo e pieno di grazia – qui si erano fermati a discutere... su cosa? Un bacio? Richard l'aveva baciata, o lei, Clarissa, aveva solo creduto che Richard fosse sul punto di baciarla e si era sottratta? Qui a quest'angolo (di fronte al quale c'era un negozio di articoli per fumatori e ora c'è una rosticceria), si erano baciati, o forse no, certamente avevano discusso, e qui o in qualche altro posto immediatamente dopo avevano cancellato il loro piccolo esperimento, perché Clarissa voleva la sua libertà e Richard voleva... Be', voleva troppo, non lo ha sempre voluto? Voleva troppo. Lei gli aveva detto che ciò che era successo d'estate era stato semplicemente quello: qualcosa che era successo d'estate. Perché lui avrebbe dovuto volere lei, una ragazza contorta e diffidente, senza un seno di cui valga la pena parlare (come poteva fidarsi del desiderio di lui?), quando lui conosceva bene, esattamente come lei, che direzione avessero i suoi desideri più intensi, e quando lui aveva Louis, il venerabile Louis, dalle membra possenti, per niente stupido, un ragazzo che Michelangelo sarebbe stato felice di dipingere? Non era forse un'altra vanità poetica l'idea che Richard aveva di lei? Non avevano avuto un litigio imponente e spettacolare, solo un bisticcio all'angolo – non c'era stato, neanche allora, il problema di un danno profondo alla loro amicizia –, eppure a guardarlo adesso a lei sembra definitivo: le appare come il momento in cui un possibile futuro è finito, e ne è cominciato uno nuovo. Quel giorno, dopo la discussione (o forse prima), Clarissa aveva comprato una confezione di incenso e una giacca di alpaca grigia, di seconda mano, con bottoni d'osso a forma di rosa. Richard, alla fine, era andato in Europa con Louis. Clarissa adesso si chiede che fine abbia fatto la giacca di alpaca. Le sembra di averla avuta per anni e anni, e ora improvvisamente non c'è più.

Gira l'angolo di Bleecker Street, risale per Thompson. Il quartiere oggi è un'imitazione di se stesso, un carnevale annacquato per turisti, e Clarissa, a cinquantadue anni, sa che dietro queste porte e dietro questi ingressi non c'è niente di più o di meno che gente che vive la propria vita. Grottescamente, alcuni degli stessi bar e degli stessi caffè sono ancora qui, rinnovati adesso per renderli più simili a se stessi, a tutto beneficio di tedeschi e giapponesi. Essenzialmente, i negozi vendono tutti le stesse cose: T-shirt ricordo, gioielli economici d'argento, giacche di pelle a poco prezzo.

Varca il portone del palazzo di Richard e pensa, come fa sempre, all'aggettivo "squallido". È quasi divertente il modo in cui l'ingresso nel palazzo di Richard illustra perfettamente il concetto di squallore. È così ovviamente, terribilmente squallido che ancora la sorprende un po', anche dopo tutti questi anni. La sorprende nel modo in cui un oggetto raro e notevole, un'opera d'arte, può continuare a generare sorpresa: solo perché rimane, attraverso il tempo, così puramente e completamente se stesso. Ci sono ancora, sorprendentemente, i muri giallo sbiadito, più o meno del colore di un biscotto di fecola; c'è il pannello fluorescente sul soffitto che emana a sprazzi il suo chiarore acquoso. È peggio – molto peggio – che il piccolo e angusto atrio sia stato rinnovato con pochi soldi e poco entusiasmo una decina di anni fa. L'atrio è molto più scoraggiante con il linoleum bianco sporco a disegni di mattoni e il ficus artificiale di quanto possa essere mai stato nella sua decrepitezza originaria. Solo l'antico rivestimento delle pareti in marmo – un marmo color palomino, con venature blu e grigie, con un rivestimento grigio scuro, fumoso, come un raffinatissimo formaggio stagionato, adesso orribilmente intonato ai muri giallastri – indica che una volta questo era un edificio di un qualche pregio, che qui sono state nutrite speranze, che entrando nell'ingresso le persone dovevano avere la sensazione che stessero muovendosi ordinatamente verso un futuro che racchiudeva qualcosa che valeva la pena avere.

Entra nell'ascensore, una stanzetta dal chiarore intensificato, candeggiato, con pannelli di metallo traforato, e schiaccia il pulsante del quinto piano. La porta dell'ascensore mugola e si chiude rumorosamente. Non succede nulla. Naturalmente. Funziona solo a intermittenza; in effetti è quasi un sollievo abbandonarlo e salire a piedi. Clarissa schiaccia il pulsante con la "o" bianca e, dopo una nervosa esitazione, le porte si riaprono rumorosamente: ha sempre paura di rimanere intrappolata in quest'ascensore fra un piano e l'altro – può immaginare con molta facilità la lunghissima attesa, le grida d'aiuto indirizzate a portieri che potrebbero o non potrebbero parlare inglese e che potrebbero o non potrebbero aver voglia di intervenire; la strana, avvolgente paura, simile alla morte, di aspettare lì, sola, per un tempo considerevole, in quel vuoto brillante, che puzza di vecchio, guardando o non guardando il suo riflesso distorto nel fosco specchio circolare fissato nell'angolo in alto a destra. Meglio, davvero, trovare l'ascensore dichiaratamente guasto, e salire per cinque piani. È meglio essere libera.

Sale le scale, sentendosi allo stesso tempo stanca e nuziale – virginale – con il suo fascio di fiori. Gli scalini, logorati, consumati al centro, sono fatti di una particolare sostanza gommosa nerastra. A ciascuno dei quattro pianerottoli una finestra offre una vista differente di biancheria stesa ad asciugare: lenzuola a fiori, indumenti da bambino, pantaloncini di felpa, luridi nel loro essere nuovi ed economici; non è affatto il tipo vecchio di biancheria – calzini scuri ed elaborati completi intimi da donna, vesti da casa scolorite, luminose magliette bianche – che avrebbe reso il condotto dell'aria qualcosa di ordinario ma meraviglioso, preservato da un'altra epoca. Squallido, pensa di nuovo. Semplicemente squallido.

Il corridoio di Richard, dello stesso color biscotto di fecola, è ancora piastrellato come doveva essere stato all'inizio del secolo (il linoleum finisce, misteriosamente, al secondo piano); il pavimento, con i bordi che compongono un mosaico di fiori geometrici giallo chiaro, ospita un singolo mozzicone di sigaretta sporco di rossetto rosso. Clarissa bussa alla porta di Richard, fa una pausa, bussa di nuovo.

"Chi è?"

"Io."

"Chi?"

"Clarissa."

"Oh, signora D. Entra."

Non è ora di finirla, pensa lei, con quel vecchio soprannome? Se lui è di buon umore, tirerà fuori l'argomento: "Richard non credi che sia ora di chiamarmi semplicemente Clarissa?"

Apre la porta con la sua chiave. Riesce a sentire Richard che parla nell'altra stanza con una voce bassa, divertita, come se stesse dispensando scandalosi segreti. Non riesce a capire cosa stia dicendo. Distingue la parola "salto", seguita da una risata bassa, risonante di Richard, un suono sottilmente doloroso, come se la risata fosse un oggetto appuntito rimasto incastrato nella sua gola.

Bene, pensa Clarissa, è un altro di questi giorni, allora – non un giorno, certamente, in cui sollevare l'argomento dei soprannomi.

Come può fare a meno di avercela con Evan e gli altri che hanno preso le nuove medicine in tempo, tutti gli uomini e le donne fortunati ("fortunati", naturalmente, è un termine relativo), le cui menti non sono state ancora divorate pezzo dopo pezzo dal virus. Come può fare a meno di provare rabbia per Richard, i cui muscoli e i cui organi sono stati vivificati dalle nuove scoperte, ma la cui mente sembra essere andata troppo oltre per essere salvata, troppo oltre per avere altro conforto che quello di pochi giorni buoni fra tanti cattivi.

Il suo appartamento è, come sempre, in penombra e soffocato, troppo riscaldato, pieno di incenso alla salvia e al ginepro che Richard brucia per coprire l'odore della malattia. È un posto indicibilmente disordinato, abitato qui e là da qualche pallido cerchio appena più chiaro che emana dalle lampade marroncine in cui Richard non tollera alcun bulbo più potente di quindici watt. Più di ogni altra cosa, l'appartamento ha un aspetto subacqueo. Clarissa lo attraversa come se prendesse possesso di una nave affondata. Non sarebbe sorprendente se una piccola schiera di pesci argentati sbucasse fuori dalla penombra. Queste stanze non sembrano, seriamente, far parte dell'edificio in cui si trovano, e quando Clarissa entra e chiude dietro di sé la grande e cigolante porta con le quattro serrature (due delle quali rotte) ha la sensazione, sempre, di essere passata attraverso una distorsione dimensionale – attraverso uno specchio, come se l'ingresso, le scale e il corridoio esistessero in un altro regno, completamente diverso, in un altro tempo.

"Buongiorno," saluta lei.

"È ancora giorno?"

"Sì."

Richard è nella seconda stanza. L'appartamento è di sole due stanze. La cucina (in cui si entra) e l'altra stanza grande, dove si svolge la vita di Richard (ciò che ne rimane). Clarissa attraversa la cucina, con la vecchia stufa e la larga vasca bianca (luminosa e pallida come marmo nell'eterna sera della stanza), con il debole odore di gas e di vecchie cose cucinate, con i cartoni impilati pieni di... chi sa cosa? Lo specchio ovale con la cornice dorata che le rimanda (è sempre un po' uno shock, non importa quanto atteso) il suo pallido riflesso. Nel corso degli anni si è abituata a ignorare gli specchi.

Ecco la caffettiera italiana che ha comprato per lui, tutta acciaio cromato e nero, che comincia a unirsi al generale aspetto di polveroso abbandono. Ecco le pentole di rame che ha comprato lei.

Richard, nell'altra stanza, siede nella sua poltrona. Gli scuri sono tutti abbassati e tutte le sei o sette lampade sono accese, anche se il loro fioco risultato generale a stento è equiparabile a quello di una normale lampada da scrivania. Richard, nell'angolo opposto, con la sua assurda vestaglia di flanella (una versione in taglia adulta di una vestaglia da bambino, blu scuro, piena di razzi spaziali e astronauti con i caschi), è macilento e maestoso, assurdo, come una regina annegata ancora seduta sul trono.

Ha smesso di sussurrare. Se ne sta seduto con la testa leggermente reclinata all'indietro e gli occhi chiusi, come se ascoltasse della musica.

"Buongiorno, caro," dice di nuovo Clarissa.

Lui apre gli occhi. "Guarda tutti quei fiori."

"Sono per te."

"Sono morto?"

"Per la festa. Come va il tuo mal di testa, stamattina?"

"Meglio. Grazie."

"Hai dormito?"

"Non ricordo. Sì, credo di sì. Grazie."

"Richard, è una bella giornata estiva. Che ne dici se faccio entrare un po' di luce?"

"Se ti va."

Va alla più vicina fra le tre finestre e, con qualche difficoltà, tira su lo scuro. La traballante luce del giorno – quella che riesce a incunearsi tra la palazzina di Richard e l'altra con i mattoni color cioccolato a meno di dieci metri di distanza – entra nella stanza. Dall'altro lato del cortile c'è la finestra di una vecchia vedova stizzosa, con le sue statuine di vetro e ceramica sul davanzale (un asino che trascina un carretto, un pagliaccio, uno scoiattolo ghignante). Clarissa si volta. Il viso di Richard, le sue cavità e le pieghe profonde di carne, la sua fronte alta e lucida e il naso da pugile suonato, sembrano emergere dall'oscurità come una scultura affondata riportata in superficie.

"Orribilmente luminoso," dice lui.

"La luce ti fa bene."

Va verso di lui, bacia la curva della sua fronte. Quando gli è vicina, riesce a sentire l'odore dei suoi diversi umori. I suoi pori non lasciano traspirare solo il familiare sudore (che per lei ha sempre avuto un buon odore, sostenuto e fermentato, pungente come può esserlo il vino), ma l'odore delle sue medicine, un odore farinoso e dolciastro. Ha anche l'odore della flanella non fresca di bucato (sebbene tutto venga lavato una volta alla settimana, se non più spesso), e leggermente, orribilmente (è il suo solo odore repellente) quello della poltrona in cui trascorre i suoi giorni.

La poltrona di Richard è la poltrona di una persona folle: o, meglio, è la poltrona di qualcuno che, se non è davvero folle, ha lasciato che le cose gli scivolassero di mano, è andato così oltre nell'abbandono dei normali gesti di cura personale – semplice igiene, nutrizione regolare – che la differenza fra la follia e la disperazione è difficile da tracciare. La poltrona – vecchia, squadrata, troppo imbottita, che si tiene obesamente in equilibrio su sottili gambe di legno biondo – è rotta e inservibile. È rivestita con un tessuto a rilievo, senza colore, lanuginoso, con le impunture (ed è questo, in un certo senso, il suo aspetto più sinistro) di filo argentato. I suoi braccioli tozzi e la spalliera sono così consumati, così scuriti dal continuo sfregamento e dal grasso che trasuda dalla pelle umana, che assomigliano alla parte tenera della pelle di un elefante. Le molle sono visibili – file perfette di anelli pallidi, rugginosi – non solo attraverso il cuscino, ma anche attraverso il sottile asciugamano giallo che Richard ha steso sul cuscino. La poltrona ha un odore fetido, come di qualcosa di profondamente umido, sporco: puzza di decomposizione irreversibile. Se venisse lasciata in strada (*quando* verrà lasciata in strada), nessuno la prenderebbe. Richard non acconsentirà mai a cambiarla con un'altra.

"Sono qui, oggi?" chiede Clarissa.

"No," risponde Richard, con il candore riluttante di un bambino. "Sono andati via adesso. Sono molto belli, e piuttosto terribili."

"Sì," dice lei. "Lo so."

"Penso a loro come a incroci di fuochi neri, perché sono scuri e brillanti allo stesso tempo. C'era uno che sembrava un po' una medusa nera, elettrica. Stavano cantando, proprio poco fa, in una lingua straniera. Credo fosse greco. Greco antico."

"Hai paura di loro?"

"No. Be', qualche volta."

"Credo che parlerò con Bing della possibilità di aumentarti il dosaggio delle medicine: pensi che ti farebbe bene?"

Lui sospira pesantemente. "Il fatto che a volte non li veda o non li senta non vuol dire che siano andati via," dice.

"Ma se non li senti o non li vedi, puoi riposare. Dimmi la verità, ieri notte non hai dormito per niente, vero?"

"Oh, un po'. Il sonno non mi preoccupa. Mi preoccupi molto più tu. Sembri così magra, oggi. Come stai *tu*?"

"*Io* sto bene. Posso fermarmi solo un minuto. Devo andare a mettere i fiori nell'acqua."

"Certo, certo. I fiori. La festa."

"Ho visto una star del cinema mentre venivo qui," dice Clarissa. "Penso che probabilmente è un buon segno, no?"

Richard sorride malinconicamente. "Oh, be'... segni," dice. "Credi ai segni? Credi che ci si prenda così cura di noi? Credi che si badi a noi così tanto? Be', non sarebbe meraviglioso? Sì, forse è così."

Non chiederà il nome della star del cinema; in effetti, non gliene importa niente. Richard è il solo fra tutti quelli che Clarissa conosce che non ha praticamente interesse per le persone famose. Richard sinceramente non capisce questo genere di distinzioni. Si tratta, Clarissa crede, di una combinazione di un ego monumentale con una specie di gioco erudito. Richard non riesce a immaginare una vita più interessante di quella vissuta dalle persone che conosce e da se stesso, e per questo motivo spesso ci si sente esaltati, più grandi, in sua presenza. Non è uno di quegli egoisti che rimpiccioliscono gli altri. È il tipo opposto di egoista, spinto dalla grandiosità piuttosto che dalla meschinità, e se insiste a proporre una versione di te che è più divertente, più strana, più eccentrica e profonda di quanto tu sospetti di essere – in grado di fare più bene e più male nel mondo di quanto tu abbia mai immaginato – è praticamente impossibile non credere, almeno in sua presenza e da un po' di tempo dopo che lo hai lasciato, che lui solo riesca ad arrivare alla tua essenza, che lui solo abbia l'esatta misura delle tue qualità (non tutte necessariamente lusinghiere: una certa mancanza di tatto ruvida e infantile fa parte del suo stile) e ti apprezzi più pienamente di quanto abbia mai fatto chiunque altro. È solo dopo averlo conosciuto da un po' di tempo che cominci a capire di essere, per lui, essenzialmente un personaggio di finzione, un personaggio che ha investito di capacità illimitate sia tragiche che comiche, non perché questa sia la tua vera natura, ma perché lui, Richard, ha bisogno di vivere in un mondo popolato di figure estreme e imponenti. Alcune persone hanno interrotto i rapporti con lui piuttosto che continuare a essere personaggi del poema epico che costantemente compone nella sua mente, la storia della sua vita e delle sue passioni; ma ad altri (e

Clarissa è fra questi) piace il senso di iperbole che porta nelle loro vite, e hanno finito per dipendere da esso, nel modo in cui si dipende da un caffè per svegliarsi al mattino e da un bicchiere o due per mettersi a letto di notte.

Clarissa dice: "Qualche volta, le superstizioni sono comode. Non so perché tu rifiuti così decisamente ogni tipo di comodità."

"Io? Oh, non lo faccio intenzionalmente. Mi piacciono le comodità, alcune mi piacciono molto."

"Come ti senti?"

"Bene. Abbastanza bene. Un po' effimero. Continuo a sognare di essere seduto in una stanza."

"La festa è alle cinque, ti ricordi? La festa è alle cinque, e la cerimonia è dopo: alle otto, *uptown*. Ti ricordi tutto, vero?"

Lui dice: "Sì." Poi dice: "No."

"Che c'è?" chiede lei.

"Mi dispiace. Mi sembra di continuare a ricordare cose che sono già successe. Quando mi hai chiesto se mi ricordassi della festa e della cerimonia, credevo che intendessi se ricordavo di esserci andato. E me lo ricordo. Mi sembra di essere uscito dal corso del tempo."

"La festa e la cerimonia sono stasera. Nel futuro."

"Capisco. In un certo senso, capisco. Ma vedi, mi sembra di esserci andato, nel futuro. Ho un ricordo preciso della festa che non c'è stata ancora. Ricordo perfettamente la cerimonia di premiazione."

"Ti hanno portato la colazione, stamattina?" chiede lei.

"Che domanda. Certo che sì."

"E l'hai mangiata?"

"Ricordo di averla mangiata. Ma è possibile che avessi solo intenzione di farlo. È rimasta in giro da qualche parte, la colazione?"

"Non mi sembra di averla vista."

"Allora credo di essere riuscito a mangiarla. Il cibo non conta tanto, no?"

"Il cibo conta molto, Richard."

Lui dice: "Non so se riesco a sopportarlo, Clarissa."

"Sopportare cosa?"

"Essere fiero e coraggioso davanti a tutti. Me lo ricordo perfettamente. Eccomi qui: un relitto malato e pazzo che stende le mani tremanti per ricevere il suo piccolo trofeo."

"Tesoro, non è necessario che tu sia fiero. Non è necessario che tu sia coraggioso. Non è una recita."

"Sì, che lo è. Ho avuto un premio per la mia recita: mettitelo in testa. Ho avuto un premio perché ho l'AIDS e sono diventato pazzo e sono stato coraggioso; non ha niente a che fare con il mio lavoro."

"Smettila. Per favore. Ha a che fare solo con il tuo lavoro."

Richard inspira e poi espira un fiato umido, potente. Clarissa pensa ai suoi polmoni: luccicanti cuscini rossi fittamente ricamati di vene. Sono, stranamente, fra i suoi organi meno compromessi – per ragioni incomprensibili, sono rimasti essenzialmente indenni dal virus. Con quel potente respiro i suoi occhi sembrano mettere a fuoco, raggiungere profondità più verdi.

"Non crederai che me l'avrebbero dato se fossi stato sano, vero?"

"Be', sì. In effetti, io credo di sì."

"Per favore."

"Bene, allora forse dovresti rifiutarlo."

"È questa la cosa orribile," dice Richard. "Io voglio il premio. Lo voglio. Sarebbe molto più semplice se uno ci tenesse di più o di meno a vincere un premio. È qui in giro da qualche parte?"

"Cosa?"

"Il premio. Mi piacerebbe dargli un'occhiata."

"Non l'hai avuto ancora. È stanotte."

"Sì, esatto, stanotte."

"Richard, caro, ascoltami. Può essere una cosa semplice. Puoi ricavarne un piacere semplice, diretto. Io sarò lì con te, ogni momento."

"Mi piacerebbe."

"È una festa. Solo una festa. Ci saranno solo persone che ti rispettano e ti ammirano."

"Davvero? Chi?"

"Lo sai. Howard. Elisa. Martin Campo."

"Martin Campo? Oh, Signore!"

"Credevo ti piacesse. Hai sempre detto che ti piaceva."

"Oh, be', sì, suppongo che anche al leone piaccia il guardiano dello zoo."

"Martin Campo ti ha pubblicato con continuità per più di trent'anni."

"Chi altro viene?"

"Ne abbiamo parlato più volte. Lo sai chi viene."

"Dimmi ancora un nome, per favore. Dimmi il nome di qualcuno di eroico."

"Martin Campo è eroico, non credi? Ha dilapidato il suo intero patrimonio familiare per pubblicare libri importanti e difficili, che sapeva non avrebbero venduto."

Richard chiude gli occhi, poggia la nuca macilenta sul rivestimento liso e unto della poltrona. "Va bene, allora," dice.

"Non devi affascinare la gente o intrattenerla. Non devi fare una recita. Questa gente crede in te da molto, molto tempo. Devi soltanto fare la tua apparizione con o senza un bicchiere in mano, ascoltare o non ascoltare, sorridere o non sorridere. Tutto qui. Penserò io a tutto."

Le piacerebbe prenderlo per le spalle ossute e scuoterlo forte. Richard può (anche se uno esita a pensare in questi termini) entrare nell'elenco ufficiale; può in questi ultimi momenti della sua carriera terrena ricevere le prime tracce di un riconoscimento che andrà lontano nel futuro (posto, naturalmente, che ci sia un futuro). Un premio come questo significa più della segnalazione di un consesso di poeti e accademici: significa che la letteratura stessa (il cui futuro sta prendendo forma proprio adesso) sembra avvertire il bisogno di un particolare contributo di Richard, le sue lamentele incredibilmente prolisse su mondi che stanno svanendo o che sono già interamente perduti. E anche se non ci sono garanzie, è possibile, e forse anche più che possibile, che Clarissa e il piccolo gruppetto degli altri abbiano avuto ragione. Richard, il denso, malinconico, scrutatore Richard, che osservava così minuziosamente ed esaustivamente, che cercava di dividere l'atomo con le parole, sopravviverà quando altri nomi, nomi più alla moda, saranno scomparsi.

E Clarissa, la più vecchia amica di Richard, la sua prima lettrice – Clarissa che lo vede tutti i giorni quando anche alcuni dei suoi amici più recenti sono arrivati a immaginare che sia già morto – sta per dare una festa in suo onore. Clarissa sta per riempire la casa di fiori e candele. Perché non dovrebbe volere che lui venga?

Richard dice: "Non c'è veramente bisogno che venga, vero? La festa può andare avanti solo con l'idea di me. La festa c'è già stata, davvero, con o senza di me."

"Adesso stai diventando davvero impossibile. Sto per perdere la pazienza."

"No, per favore, non arrabbiarti. Signora D., la verità è che sono imbarazzato a venire a questa festa. Ho fallito in maniera così terribile."

"Non dire così."

"No, no, tu sei gentile. Sei molto gentile, ma io temo di aver fallito: è questo il punto. Era semplicemente troppo per me. Credevo di essere una figura più grande di quanto non fossi. Posso dirti un segreto imbarazzante? Una cosa che non ho detto a nessuno."

"Certo che puoi."

"Credevo di essere un 'genio'. Ho davvero usato quella parola, in privato, con me stesso."

"Be'..."

"Orgoglio, orgoglio. Quanto mi sbagliavo. Mi ha sconfitto. Si è semplicemente rivelato insormontabile. C'era troppo, troppo per me. C'è il clima, ci sono l'acqua e la terra; ci sono gli animali, e gli edifici, e il passato e il futuro; c'è lo spazio; c'è la storia. C'è questo filo o questo qualcosa incastrato tra i miei denti; c'è la vecchia signora dall'altro lato della strada, hai visto che ha cambiato di posto all'asinello e allo scoiattolo sul davanzale? E ovviamente c'è il tempo. E il luogo. E ci sei tu, signora D. Volevo raccontare parte della storia che ti riguardava: quanto mi piacerebbe averlo fatto."

"Richard. Hai scritto un intero libro."

"Ma tutto è rimasto fuori, quasi tutto. E poi mi sono accontentato di un finale a sorpresa. Guarda che non cerco comprensione, davvero. Vogliamo tutti così tanto, non è vero?"

"Sì, credo di sì."

"Tu mi hai baciato vicino a uno stagno."

"Diecimila anni fa."

"Sta accadendo ancora."

"Sì, in un certo senso."

"Nella realtà. Sta accadendo in quel presente. Sta accadendo in questo presente."

"Sei stanco, caro. Devi riposare. Chiamo Bing per la tua medicina, va bene?"

"Non ci riesco, non riesco a riposare. Vieni qui, vieni più vicino, vieni, per favore..."

"Sono qui."

"Più vicino. Prendimi la mano."

Clarissa prende la mano di Richard tra le sue. È sorpresa anche adesso per quanto è fragile – per quanto sembri al tatto un fascio di rametti.

Richard dice: "Eccoci qui. Non credi?"

"Scusa?"

"Siamo persone di mezz'età, e siamo giovani amanti in piedi accanto a uno stagno. Siamo tutto, tutto insieme. Non è straordinario?"

"Sì."

"Non ho rimpianti, davvero, tranne quello. Volevo scrivere di te, di noi, veramente. Sai che voglio dire? Volevo scrivere di tutto: la vita che stiamo vivendo e quelle che avremmo potuto vivere. Volevo scrivere di tutti i modi in cui potremmo morire."

"Non avere rimpianti, Richard," dice Clarissa. "Non c'è motivo, hai fatto così tanto."

"È carino che tu dica questo."

"Quello di cui hai bisogno adesso è dormire un po'."

"Credi?"

"Sì."

"Va bene, allora."

Lei dice: "Verrò ad aiutarti a vestirti. Va bene alle tre e trenta?"

"È sempre meraviglioso vederti, signora Dalloway."

"Adesso vado. Devo mettere i fiori nell'acqua."

"Sì, certo, sì."

Gli tocca la spalla magra con la punta delle dita. Com'è possibile che lei provi dei rimpianti? Come può immaginare perfino adesso che avrebbero potuto avere una vita insieme? Avrebbero potuto essere marito e moglie, compagni inseparabili, e avere intanto degli amanti. Ci sono modi di sistemare tutto.

Richard una volta era ingordo e alto, forte, brillante e pallido come latte. Una volta aveva attraversato New York con un vecchio cappotto militare, parlando eccitato, con il groviglio scuro dei capelli legato frettolosamente in modo che non gli cadesse sul volto, per mezzo di un lungo nastro blu che aveva trovato.

Clarissa dice: "Ho fatto il pasticcio di granchio. Non che creda che sia questa grande cosa."

"Oh, lo sai che mi piace il tuo pasticcio di granchio. Certo che fa differenza. Clarissa?"

"Sì?"

Solleva la sua testa massiccia, devastata. Clarissa gira il volto di lato e riceve il bacio di Richard sulla guancia. Non è una buona idea baciarlo sulle labbra – un semplice raffreddore per lui sarebbe un disastro. Clarissa riceve il bacio di Richard sulla guancia, stringe la sua spalla magra con la punta delle dita.

"Ci vediamo alle tre e trenta," dice lei.

"Meraviglioso," dice Richard. "Meraviglioso."

La signora Woolf

Guarda l'orologio sul tavolo. Sono passate quasi due ore. Si sente ancora piena di forze, anche se sa che domani potrebbe guardare quello che ha scritto e trovarlo pieno d'aria, gonfio. Si ha sempre in mente un libro migliore di quello che si riesce a mettere sulla carta. Beve un sorso di caffè freddo, e si concede di rileggere ciò che ha scritto fino a questo momento.

Sembra abbastanza buono: a tratti sembra veramente buono. Ha grandi speranze, naturalmente – vuole che questo sia il suo miglior libro, quello che finalmente corrisponde alle sue aspettative. Ma si può far diventare un solo giorno di vita di una donna ordinaria materiale sufficiente per un romanzo? Virginia si tamburella le labbra con il pollice: Clarissa Dalloway morirà, di questo si sente certa, sebbene sia impossibile sapere così presto come e anche precisamente perché. Si toglierà la vita, crede Virginia. Sì, è quello che farà.

Virginia depone la penna. Le piacerebbe scrivere tutto il giorno, riempire trenta pagine invece che tre, ma dopo le prime ore qualcosa dentro di lei vacilla, e teme che se si spingesse oltre i suoi limiti rovinerebbe tutto. Sprofonderebbe in un regno di incoerenza, dal quale potrebbe non ritornare mai più. Nello stesso tempo, odia trascorrere le sue ore buone a fare qualsiasi altra cosa che non sia scrivere. Lavora, sempre, contro la paura di una ricaduta. Prima arrivano i mal di testa, che non le danno affatto un dolore ordinario ("mal di testa" le è sempre sembrato un termine inadeguato, ma chiamarli in qualsiasi altro modo sarebbe troppo melodrammatico). Si infiltrano in lei. Prendono possesso di lei piuttosto che colpirla, nel modo in cui i virus prendono possesso dei loro ospiti. Fitte di dolore si annunciano, scagliano schegge brillanti nei suoi occhi con una tale forza che lei deve costringersi a ricordarsi che gli altri non possono vederle. Il dolore la colonizza, velocemente prende il posto di ciò che era Virginia, sempre di più, e la sua avanzata è così potente, i suoi contorni dentati così distinti che non può fare a meno di immaginarlo come un'entità dotata di vita propria. Può vederla mentre cammina con Leonard nella piazza, una scintillante massa bianco argento che galleggia verso di lei sopra i ciottoli, armata di punte, fluida ma compatta, come una medusa. "Che cos'è quello?" potrebbe chiedere Leonard. "È il mio mal di testa," risponderebbe lei. "Per favore, ignoralo."

Il mal di testa è sempre lì, in attesa, e i suoi periodi di libertà, per quanto lunghi, sembrano sempre provvisori. A volte il mal di testa si impossessa di lei solo parzialmente, per una sera, o un giorno o due, e poi si ritira. A volte rimane e aumenta finché lei non soggiace. Quelle volte il mal di testa esce dalla sua scatola cranica e va nel mondo. Tutto brilla e pulsa. Tutto è infetto di lucentezza, vibra di essa, e lei prega perché arrivi un po' di buio, come un viandante perso nel deserto prega per avere un po' d'acqua. Il mondo è in ogni parte privo di oscurità, come un deserto può esserlo d'acqua. Non c'è oscurità nelle stanze con le imposte chiuse; non c'è oscurità dietro le sue palpebre abbassate. Ci sono solo diverse gradazioni di luminosità, maggiori o minori. Quando è stata trasportata in questo regno di brillantezza senza tregua, cominciano le voci. A volte sono basse, mormorii incorporei che si compattano dall'aria stessa; a volte provengono da dietro i mobili, o da dentro i muri. Sono indistinte, ma gravide di significati, sicuramente maschili, oscenamente vecchie. Sono arrabbiate, accusatorie, deluse. A volte sembra che conversino, sussurrando, fra di loro; a volte sembra che recitino un testo. A volte, debolmente, riesce a distinguere una parola. "Salto", una volta e "sotto" in due occasioni. Uno stormo di passeri fuori dalla finestra una volta ha cantato, senza ombra di dubbio, in greco. Questo stato la rende tremendamente miserabile; in questo stato è capace di urlare contro Leonard o contro chiunque altro le si avvicini (sprizzando luce come un diavolo), eppure questo stato, quando si protrae, comincia ad avvilupparla completamente, ora dopo ora, come una crisalide. Alla fine, quando sono passate sufficienti ore, lei emerge ricoperta di sangue, tremante, ma piena di visioni e pronta, dopo aver riposato, a lavorare di nuovo. Teme i suoi scivolamenti nel dolore e nella luce, e nello stesso tempo sospetta che le siano necessari. È libera da un po' di tempo, adesso, da qualche anno. Sa quanto improvvisamente il mal di testa può ritornare, ma ne sminuisce l'importanza di fronte a Leonard, agisce come se si sentisse meglio di quanto a volte si senta. Ritornerà a Londra. Meglio morire impazzendo completamente a Londra che evaporare nell'aria a Richmond.

Decide, con apprensione, che ha finito per oggi. Ci sono sempre questi dubbi. Dovrebbe provare per un'altra ora? Si sta comportando in maniera giudiziosa o indolente? Giudiziosa, si dice, e quasi ci crede. Ha duecentocinquanta parole, più o meno. Diciamo che è abbastanza. Abbi fiducia che sarai di nuovo qui, in grado di riconoscerti, domani mattina.

Prende la sua tazza, con i fondi freddi, esce dalla stanza e scende giù nella stamperia, dove Ralph sta leggendo le bozze man mano che Leonard le finisce.

"Buongiorno," dice Ralph allegramente e nervosamente a Virginia. La sua larga, placida, bella faccia è rossa; la sua fronte, praticamente accesa; e lei capisce immediatamente che per lui non è affatto un buon giorno. Leonard deve aver brontolato per qualche inefficienza, o avvenuta di recente o rimasta in sospeso da ieri, e adesso Ralph siede a leggere bozze e a dire "buongiorno" con l'ardore arrossato di un bambino che sia stato rimproverato.

"Buongiorno," risponde lei, con una voce che è cordiale ma studiatamente priva di comprensione. Questi ragazzi e ragazze, questi assistenti, verranno e andranno via; già Marjorie è stata assunta (con la sua terribile pronuncia strascicata: dov'è adesso?) per fare i lavori che Ralph considera siano al di sotto delle sue possibilità. Non passerà molto tempo, sicuramente, prima che Ralph e poi Marjorie siano andati via e lei, Virginia, emergerà dallo studio e troverà qualcuno di nuovo ad augurarle un buongiorno, pieno di rossori in viso e rimproveri. Sa che Leonard può essere burbero, spilorcio e capace di pretendere l'impossibile. Sa che questi ragazzi spesso vengono criticati ingiustamente, ma non si metterà dalla loro parte, contro di lui. Non sarà la madre che interviene, per quanto loro possano pregarla con sorrisi ansiosi e occhi feriti. Ralph, dopo tutto, è un problema di Lytton, e se ne occuperà Lytton. Lui, come i suoi fratelli e sorelle che verranno, andrà avanti e farà tutto quello che farà in un mondo più grande – nessuno si aspetta che facciano carriera come assistenti stampatori. Leonard può essere dispotico, può essere ingiusto, ma è il suo compagno, l'uomo che si prende cura di lei, e lei non lo tradirà, certamente non per il bello e imberbe Ralph, o per Marjorie, con la sua voce da parrocchetto.

"Ci sono otto errori in dieci pagine," dice Leonard. Le parentesi intorno alla sua bocca sono così profonde che ci si potrebbe infilare un penny.

"Per fortuna, li avete trovati," dice Virginia.

"Sembra che si raggruppino intorno alla parte centrale. Credi che la cattiva scrittura possa davvero provocare una più alta incidenza di disgrazie?"

"Quanto mi piacerebbe vivere in un mondo in cui questo fosse vero. Vado a fare una passeggiata per schiarirmi la mente, poi torno e mi ci metto anch'io."

"Stiamo facendo progressi," dice Ralph. "Dovremmo aver finito per stasera."

"Saremo fortunati," dice Leonard, "se finiremo la prossima settimana."

Guarda in modo torvo. Ralph diventa di una sfumatura di rosso più sottile e più precisa: naturalmente, pensa lei. Ralph ha preparato i caratteri, e lo ha fatto in modo frettoloso. La verità, pensa, siede calma e grassoccia, vestita di grigio matronale, fra questi due uomini. Non sta dalla parte di Ralph, il giovane soldato di fanteria, che apprezza la letteratura ma apprezza anche, con fervore uguale o forse maggiore, il brandy e i biscotti che lo aspettano quando il lavoro della giornata è finito; che ha buon cuore ed è un tipo comune, che riesce appena a portare avanti, tra i suoi compiti equamente distribuiti, gli affari ordinari di un mondo ordinario. La verità probabilmente non sta (nemmeno) dalla parte di Leonard, il brillante e instancabile Leonard, che si rifiuta di distinguere tra battuta d'arresto e catastrofe, che stima il risultato più di qualsiasi altra cosa e si rende insopportabile agli altri solo perché crede veramente di poter scovare e riparare ogni incidenza di inefficienza e mediocrità umana.

"Sono sicura," dice lei, "che insieme possiamo mettere il libro in una forma accettabile, e riuscire a festeggiare il Natale."

Ralph le sorride con un sollievo così evidente che lei ha l'impulso immediato di dargli uno schiaffo. Sopravvaluta la simpatia di lei – non ha parlato per lui ma per Leonard, proprio come sua madre avrebbe potuto prendere alla leggera lo sbaglio di un domestico durante una cena, dichiarando per il bene di suo marito e di tutti i presenti che la zuppiera rotta non significava assolutamente niente, che il cerchio d'amore e tolleranza non poteva essere spezzato, che erano tutti sani e salvi.

La signora Brown

... la vita, Londra, questo momento di giugno.

Comincia a versare della farina in una ciotola azzurra. Fuori dalla finestra c'è il breve intervallo di erba che separa la sua casa da quella dei vicini; l'ombra di un uccello corre attraverso lo stucco bianco accecante del garage dei vicini. Per un attimo Laura è profondamente contenta per l'ombra dell'uccello, per le strisce di bianco brillante e verde. La ciotola sul ripiano davanti a lei è di un azzurro pallido, gessoso, leggermente sbiadito, con una sottile striscia di foglie bianche lungo il bordo. Le foglie sono identiche, stilizzate, leggermente da fumetto, inclinate, e sembra perfetto, tipico, che una di esse abbia una scheggiatura esattamente triangolare in un fianco. Una sottile pioggia bianca di farina cade nella ciotola.

"Ci siamo," dice a Richie. "Vuoi vedere?"

"Sì," risponde lui.

Si inginocchia per mostrargli la farina setacciata. "Adesso dobbiamo contare quattro tazze. Sai quant'è quattro?"

Lui solleva quattro dita. "Bene," dice lei. "Molto bene."

In questo momento potrebbe divorarlo, non voracemente, ma con adorazione e infinita gentilezza, nel modo in cui prendeva l'ostia in bocca prima di sposarsi e convertirsi (sua madre non la perdonerà mai, mai). È piena di un amore così forte, così privo di ambiguità, che somiglia all'appetito.

"Sei un bambino proprio intelligente," dice.

Richie sorride; guarda intensamente il viso di lei. Lei ricambia lo sguardo. Si fermano, immobili, a osservarsi, e per un momento lei è precisamente quello che le capita di essere: una madre incinta che si inginocchia in una cucina con suo figlio di tre anni, il quale conosce il numero quattro. Lei è se stessa, ed è l'immagine perfetta di se stessa: non c'è differenza. Sta per preparare una torta di compleanno – solo una torta – ma, in questo momento, nella sua mente la torta è lucida e splendente come le fotografie sulle riviste: è anche meglio delle fotografie delle torte sulle riviste. Si immagina di preparare, partendo dagli ingredienti più umili, una torta con tutto l'equilibrio e l'autorità di un'urna o di una casa. La torta parlerà di generosità e piacere come una buona casa parla di comodità e sicurezza. È così, pensa lei, che gli artisti o gli architetti devono sentirsi (è un paragone terribilmente grandioso, lo sa, forse anche un po' stupido, ma è così) di fronte alla tela, alla pietra, ai colori a olio o all'impasto di cemento. Un libro come *La signora Dalloway* una volta non era solo carta bianca e una boccetta d'inchiostro? È solo una torta, si dice. Ma comunque. Ci sono torte e torte. In questo momento, reggendo una ciotola piena di farina setacciata in una casa ordinaria sotto il cielo della California, spera di essere soddisfatta e piena di aspettative come uno scrittore che metta giù la prima frase, un costruttore che cominci a tracciare la pianta.

"Va bene, bello," dice a Richie. "Fai tu la prima."

Gli passa una tazza-misurino di alluminio lucido. È la prima volta che gli viene affidato un compito del genere. Laura prepara una seconda tazza, vuota, sul pavimento. Lui tiene il misurino con entrambe le mani.

"Ecco qui," dice lei.

Guidando le mani di Richard con le sue, lo aiuta a immergere la tazza nella farina. La tazza penetra facilmente, e attraverso la sua parete sottile lui riesce a sentire la setosità e la sottile granulosità della farina setacciata. Una nuvoletta si leva dalla scia della tazza, che madre e figlio sollevano, colma di farina. Della farina cade giù dalle pareti argentate. Laura dice al bambino di reggere la tazza saldamente, cosa che lui nervosamente riesce a fare, e con un veloce gesto elimina la piccola sommità granulosa e crea un'impeccabile superficie bianca esattamente a livello del bordo della tazza. Lui continua a reggere la tazza con entrambe le mani.

"Bene," dice lei, "adesso la mettiamo nell'altra ciotola. Credi di potercela fare da solo?"

"Sì," dice lui, anche se non ne è del tutto certo. Crede che questa tazza di farina sia unica e insostituibile. Una cosa è quando ti chiedono di trasportare un cavolo lungo la strada, un'altra quando ti chiedono di portare la testa recentemente ritrovata dell'Apollo di Rilke.

"Andiamo, allora," dice lei.

Con cautela, lui muove la tazza verso l'altra ciotola e la tiene lì, paralizzato, sulla cavità bianca brillante (è la successiva in ordine decrescente di grandezza di una serie di ciotole che si infilano l'una nell'altra, verde chiaro, con la stessa striscia di foglie bianche lungo il bordo.)

Lui sa che dovrebbe versare la farina nella ciotola, ma potrebbe aver capito male le indicazioni, e rovinare tutto; è possibile che, versando la farina, provocherà qualche catastrofe più grande, comprometterà qualche equilibrio precario. Vuole guardare il viso della madre, ma non può staccare gli occhi dalla tazza.

"Svuotala," dice lei.

Lui la svuota con un movimento affrettato e spaventato. La farina esita per una frazione di secondo, poi cade. Cade in maniera solida, in un mucchietto che ricorda vagamente la forma del misurino. Si solleva una nuova nuvola, più grande, che quasi arriva a toccare la sua faccia, poi svanisce. Lui osserva quello che ha fatto: una collina bianca, leggermente granulare, chiazzata di minuscole ombre, che se ne sta in piedi sul bianco lucido, più cremoso, dell'interno della ciotola.

"Ooops," dice sua madre.

Lui la guarda terrorizzato. I suoi occhi si riempiono di lacrime.

Laura sospira. Perché è così delicato, così soggetto ad attacchi d'inspiegabile rimorso? Perché dev'essere così attenta con lui? Per un momento – un momento – la forma di Richie cambia sottilmente. Diventa più grande, più brillante; la sua testa si espande. Una luce totalmente bianca sembra, per un momento, circondarlo. Per un momento lei vuole solo andarsene – non fargli del male, non lo farebbe mai, ma essere libera, innocente, irresponsabile.

"No, no," dice Laura. "Va bene. Molto bene. È così che deve essere."

Lui sorride tristemente, di colpo orgoglioso di se stesso, quasi irragionevolmente sollevato. Tutto bene, allora: c'era bisogno solo di qualche parola carina. Un po' di rassicurazione. Lei sospira. Gli tocca delicatamente i capelli.

"Adesso," dice, "sei pronto a farne un'altra?"

Lui annuisce con un entusiasmo così schietto, così avventato che la gola di lei si stringe in un accesso d'amore. Sembra improvvisamente semplice preparare una torta, allevare un bambino. Ama suo figlio così semplicemente, come fanno le madri – non ce l'ha con lui, non vuole andare via. Ama suo marito, ed è contenta di essere sposata. È possibile (non è impossibile) che abbia varcato una linea invisibile: la linea che l'ha sempre separata da quello che avrebbe preferito sentire, da chi avrebbe preferito essere. Non è impossibile che sia stata soggetta a una sottile ma profonda trasformazione, qui, in cucina, in questo momento così ordinario. Ha catturato se stessa. Ha lavorato molto a lungo, molto duramente, con grande fiducia, e adesso ha afferrato il trucco per vivere felice, per vivere come se stessa, proprio come un bambino impara in un determinato momento a procedere in equilibrio su una bicicletta a due ruote. Sembra che starà bene. Non si scoraggerà. Non rimpiangerà le possibilità che ha perduto, i suoi talenti inesplorati (e se non ne avesse nessuno, dopo tutto?). Rimarrà fedele a suo figlio, a suo marito, alla sua casa e ai suoi doveri, a tutte le sue cose. Vorrà avere questo secondo bambino.

La signora Woolf

Sale su per Mount Ararat Road, progettando il suicidio di Clarissa Dalloway. Clarissa deve aver avuto un amore: una donna. O una ragazza: piuttosto, sì, una ragazza che ha conosciuto in giovinezza, una di quelle passioni che esplodono quando si è giovani, quando l'amore e le idee sembrano davvero una scoperta personale, mai appresa prima; durante quel breve periodo della giovinezza in cui ci sente liberi di dire o fare qualsiasi cosa: dare scandalo, ribellarsi, rifiutare il futuro che viene offerto e chiederne un altro, molto più grandioso e strano, ideato e posseduto solo da se stessi, senza dover niente a zia Helena che siede ogni giorno nella solita poltrona e si chiede a voce alta se Platone e Morris siano letture adatte a una giovane donna. Clarissa Dalloway, nella sua prima giovinezza, amerà un'altra donna, pensa Virginia; Clarissa crederà che un futuro ricco, sfrenato, si stia aprendo davanti a lei, ma alla fine (come, esattamente, si raggiungerà questo cambiamento?) ritornerà in sé, come fanno le giovani donne, e sposerà un uomo rispettabile.

Sì, tornerà in sé e si sposerà.

Morirà quando avrà raggiunto la mezz'età. Si ucciderà probabilmente per qualche sciocchezza (come si può fare a rendere tutto questo convincente, tragico, invece che comico?)

Questo, ovviamente, avverrà più avanti nel libro. Per il momento in cui raggiungerà quella destinazione, Virginia spera che la sua precisa natura si sarà rivelata. Per adesso, attraversando Richmond, concentra i suoi pensieri sul problema del primo amore di Clarissa. Una ragazza. La ragazza, pensa, sarà esuberante e accattivante. Scandalizzerà le zie tagliando le cime di dalie e malvarose e mettendole a galleggiare in grandi ciotole piene d'acqua, proprio come ha sempre fatto la sorella di Virginia, Vanessa.

Qui su Mount Ararat Road Virginia incrocia una donna robusta, una figura familiare che ha visto in qualche negozio, un'arzilla e sospettosa vecchia moglie che tiene due carlini a un guinzaglio color brandy, con un'immensa borsa ricamata nell'altra mano e che le fa capire, grazie al fatto che ignora Virginia ostentatamente, che lei ha, di nuovo, parlato da sola ad alta voce senza accorgersene. Sì, può praticamente sentire le parole che lei stessa ha mormorato – *"Scandalizzerà le zie"* – che ancora la seguono come una sciarpa. Be', e allora? Sfacciatamente, dopo che la donna è passata, Virginia si volta, già pronta a ricambiare lo sguardo torvo della donna. Gli occhi di Virginia incontrano invece quelli di uno dei carlini, che la fissa voltando la spalla color fulvo chiaro con un'espressione di umido, affannato sconcerto.

Raggiunge Queen's Road e ritorna verso casa, pensando a Vanessa, ai fiori decapitati che galleggiano in scodelle d'acqua.

Anche se fra i migliori, Richmond è, alla fine dei conti e innegabilmente, un "sobborgo", solo questo, con tutto quello che la parola comporta: cassette per i fiori sul davanzale e siepi, mogli che portano a passeggio carlini, orologi che battono l'ora in stanze vuote. Virginia pensa all'amore di una ragazza. Disprezza Richmond. Ha fame di Londra; qualche volta sogna il cuore della città. Qui, dove lei è stata portata a vivere negli ultimi otto anni proprio perché non è né strano né meraviglioso, è libera da mal di testa e voci, da crisi di rabbia. Qui tutto ciò che desidera è ritornare ai pericoli della vita cittadina.

Sugli scalini di Hogarth House, si ferma per tornare in sé. Ha imparato nel corso degli anni che la sanità prevede una certa misura di interpretazione, non semplicemente a beneficio di marito e servitori, ma per il bene, prima di tutto e cosa più importante, delle proprie convinzioni: lei è l'autore; Leonard, Nelly e gli altri sono i lettori. Questo particolare romanzo tratta di una donna serena e intelligente, la cui sensibilità è dolorosamente acuta e che una volta è stata ammalata ma adesso è guarita, che si sta preparando per la bella stagione a Londra, dove darà feste e parteciperà a feste, scriverà di mattina e leggerà di pomeriggio, cenerà con gli amici, vestirà perfettamente. C'è una vera arte in questo: nel dare le istruzioni per il tè e per la cena, nell'animata correttezza. Gli uomini possono congratularsi con se stessi per il fatto che scrivono con sincerità e passione dei movimenti delle nazioni, possono considerare che la guerra e la ricerca di Dio siano i soli argomenti degni della grande letteratura, ma se il posto degli uomini nel mondo potesse essere messo in crisi dalla scelta del cappello sbagliato, la letteratura inglese subirebbe un drammatico cambiamento.

Clarissa Dalloway, pensa, si ucciderà per qualcosa che sembra, in apparenza, molto piccolo. Una sua festa andrà male, o suo marito si rifiuterà per l'ennesima volta di notare qualche cambiamento che lei ha fatto per lui alla sua persona o alla casa. Il trucco sarà di rendere interamente la grandezza della piccola ma molto reale disperazione di Clarissa, di convincere appieno il lettore che per lei le sconfitte domestiche sono in ogni singola parte tanto devastanti quanto possono esserlo le battaglie perse per un generale.

Virginia varca la soglia. Si sente pienamente in possesso del personaggio che è Virginia Woolf, e nei panni di quel personaggio si toglie il mantello, lo appende e va in cucina a parlare del pranzo con Nelly.

In cucina, Nelly sta spianando una sfoglia. Nelly è se stessa, sempre se stessa. Sempre grande e rossa, regale, sdegnosa, come se avesse trascorso la vita in un'età di gloria e benessere finita, per sempre, cinque minuti prima che tu entrassi dalla porta. Virginia ne è meravigliata. Come fa a ricordarsi, a fare in modo di essere, ogni giorno e ogni ora, sempre esattamente la stessa?

"Salve, Nelly," dice Virginia.

"Salve, signora." Nelly si concentra sulla sfoglia, come se il mattarello stesse facendo affiorare una debole ma leggibile scrittura nell'impasto.

"C'è un tortino per pranzo?"

"Sì, signora. Pensavo tortino d'agnello: c'è quell'agnello

avanzato, e lei ha lavorato così tanto stamattina che non abbiamo parlato."

"Il tortino d'agnello va benissimo," dice Virginia, anche se deve faticare per rimanere nel personaggio. Ricorda a se stessa: il cibo non è sinistro. Non pensare a putrefazione o feci; non pensare alla faccia nello specchio.

"C'è la zuppa di crescione," dice Nelly. "E il tortino. E poi ho pensato semplicemente a quelle pere gialle per dessert, a meno che lei non gradisca qualcosa di meglio."

Eccola, la sfida è stata lanciata: *A meno che lei non gradisca qualcosa di meglio.* Così l'amazzone sconfitta sta sulla riva avvolta nella pelliccia degli animali che ha ucciso e scuoiato, così fa cadere una pera davanti ai sandali d'oro della regina e dice: "Ecco cosa le ho portato. A meno che lei non gradisca qualcosa di meglio."

"Le pere andranno benissimo," dice Virginia, anche se, ovviamente, le pere non andranno bene per niente. Se Virginia avesse recitato bene e, quella mattina, avesse fatto il suo ingresso in cucina per ordinare il pranzo, il dessert avrebbe potuto essere praticamente qualunque cosa. Poteva essere biancomangiare, o soufflé; poteva, in effetti, essere pere. Virginia sarebbe potuta agevolmente entrare in cucina alle otto e dire: "Non ci preoccupiamo tanto del dessert, oggi: le pere andranno benissimo." Ma invece lei si è imboscata dritta nello studio, per paura che la sua scrittura del giorno (quel fragile impulso, quell'uovo in equilibrio su un cucchiaio) potesse dissolversi davanti a una delle uscite di Nelly. Nelly lo sa, naturalmente lo sa, e offrendo le pere ricorda a Virginia che lei, Nelly, è potente, che conosce i segreti, che le regine che badano più a risolvere rompicapi nelle loro stanze che non al benessere della gente devono subirne le conseguenze.

Virginia prende un ricciolo di sfoglia dalla tavola, lo modella tra le dita. Dice: "Ricordi che Vanessa e i bambini arrivano alle quattro?"

"Sì signora, mi ricordo." Nelly solleva la sfoglia con elaborata competenza e la stende nella teglia per il tortino. I movimenti teneri e pratici ricordano a Virginia l'atto di mettere il pannolino a un bambino e, per un momento, si sente una ragazza che assiste, tra soggezione e furia, all'impenetrabile competenza di una madre.

Dice: "Vorrei che ci fosse tè cinese. E zenzero ricoperto di zucchero."

"Tè cinese, signora? E zenzero?"

"Vanessa non viene qui da più di due settimane. Per il tè, preferirei darle qualcosa di meglio degli avanzi di ieri."

"Tè cinese e zenzero ricoperto di zucchero vuol dire Londra, non li vendono qui."

"I treni partono ogni trenta minuti, gli autobus ogni ora. Ci sono altre cose che ci servono a Londra?"

"Oh, ci sono sempre. È solo che sono le undici e mezzo adesso, e per preparare il pranzo ci vuole ancora molto. La signora Bell arriva alle quattro. Ha detto alle quattro, vero?"

"Sì, e per le quattro intendo le quattro che arriveranno fra quasi cinque ore, visto che adesso sono esattamente le undici e otto minuti. Il treno delle dodici e trenta ti porterà a Londra qualche minuto dopo l'una; quello delle due e trenta ti riporterà qui subito dopo le tre, in tempo e sana e salva, con il tè e lo zenzero in mano. Ho fatto male i calcoli?"

"No," dice Nelly. Prende una rapa dalla ciotola e ne taglia l'estremità con un sapiente colpo di coltello. Così, pensa Virginia, le piacerebbe tagliarmi la gola: così, con un colpo sbrigativo, come se uccidermi fosse un altro degli impegni domestici che si frappongono fra lei e il sonno. È in questo modo che Nelly ucciderebbe, con competenza e precisione, come cucina, seguendo ricette imparate talmente tanto tempo fa che non le danno neanche l'impressione di far parte delle sue conoscenze. In questo momento, taglierebbe volentieri la gola di Virginia come una rapa, perché Virginia ha trascurato i suoi doveri e ora lei, Nelly Boxall, una donna cresciuta, viene punita perché serve pere. Perché è così difficile trattare con i domestici? La madre di Virginia ci riusciva bene. Vanessa ci riesce bene. Perché è così difficile essere fermi e gentili con Nelly, ottenere il suo rispetto e il suo amore? Virginia sa come dovrebbe entrare in cucina, come dovrebbe tenere le spalle, come la sua voce dovrebbe essere, materna ma non familiare, qualcosa come quella di un'istitutrice che parla a un bambino che ama. "*Oh, facciamo qualcosa in più delle pere, Nelly. Il signor Woolf è di cattivo umore oggi, e temo che le pere non farebbero abbastanza per addolcire il suo stato d'animo.*" Sarebbe così semplice.

Darà a Clarissa Dalloway grande talento con i domestici, un'attitudine complessa, allo stesso tempo gentile e autoritaria. I suoi domestici la ameranno. Faranno più di quello che lei stessa chiede.

La signora Dalloway

Entrando nel portone del palazzo con i fiori, Clarissa incontra Sally che sta uscendo. Per un momento – meno di un momento – vede Sally come la vedrebbe se fossero due sconosciute. Sally è una donna pallida, con i capelli grigi e il volto duro, impaziente, cinque chili più magra di quello che dovrebbe essere. Per un momento, vedendo questa sconosciuta nell'ingresso, Clarissa si sente piena di tenerezza e di una vaga, clinica disapprovazione. Clarissa pensa: è così agitata e amorevole. Clarissa pensa: non dovrebbe mai vestire di giallo, neanche in questa tonalità senape scuro.

"Ehi," dice Sally, "bei fiori."

Si baciano velocemente sulle labbra. Sono sempre generose con i baci.

"Dove stai andando?" chiede Clarissa.

"*Uptown*. Pranzo con Oliver St.Ives. Te l'ho detto? Non mi ricordo se te l'ho detto."

"No."

"Scusa. Ti dispiace?"

"Per niente. È bello pranzare con una star del cinema."

"Ho pulito come una matta, là dentro."

"Carta igienica?"

"Ce n'è in abbondanza. Ritornerò fra un paio d'ore."

"Ciao."

"I fiori sono belli," dice Sally. "Perché mi sento nervosa?"

"Perché devi pranzare con una star del cinema, suppongo."

"È solo Oliver. Ho come l'impressione che ti sto abbandonando."

"No, non lo stai facendo. È tutto a posto."

"Sicura?"

"Vai. Divertiti."

"Ciao."

Si baciano di nuovo. Clarissa parlerà a Sally, al momento opportuno, del fatto che la giacca color senape è meglio lasciarla nell'armadio.

Mentre si incammina nel corridoio, si chiede della sensazione di piacere che ha provato – quando è stato? – solo un po' più di un'ora prima. In questo momento, alle undici e trenta di un caldo giorno di giugno, l'atrio del suo palazzo sembra un ingresso nel regno dei morti. L'urna è nella sua nicchia e le piastrelle marrone lucido del pavimento rimandano silenziosamente in una forma confusa l'antiquata luce ocra delle *appliques*. No, non il regno dei morti, esattamente: c'è qualcosa di peggio della morte, con la sua promessa di riposo e sonno. C'è la polvere che sale, giorni senza fine e un corridoio che rimane sempre lì, sempre pieno della stessa luce marrone e dell'odore fetido, leggermente chimico, che avrà fino all'arrivo di qualcosa di più preciso, come il vero odore dell'età e della perdita, la fine della speranza. Richard, il suo amante perduto, il suo amico più sincero, sta scomparendo nella malattia, nella follia. Richard non la accompagnerà, come programmato, nella vecchiaia.

Clarissa entra nell'appartamento e immediatamente, stranamente, si sente meglio. Un po' meglio. Bisogna pensare alla festa. Almeno c'è quello. Ecco la sua casa: sua e di Sally. Sebbene abbiano vissuto insieme qui per quasi quindici anni, lei è ancora colpita dalla bellezza del posto e dalla loro incredibile fortuna. Due piani e un giardino nel West Village! Sono ricche, ovviamente – oscenamente ricche per gli standard del mondo – ma non *ricche* ricche: non ricche come i ricchi di New York. Avevano una certa somma da spendere e sono riuscite con un colpo di fortuna a entrare in questo posto con le assi di pino, la fila di finestre a battenti che si aprono su un patio di mattoni dove il muschio color smeraldo cresce in bassi vasi di pietra e una piccola fontana circolare, come un piatto ovale d'acqua chiara, gorgoglia se si gira un interruttore. Clarissa porta i fiori in cucina, dove Sally ha lasciato un biglietto ("Pranzo con Oliver. Dimenticato di dirtelo? Torno alle tre al massimo. Baci"). Clarissa improvvisamente viene presa da un senso di dislocazione. Questa non è affatto la sua cucina. Questa è la cucina di una conoscente: abbastanza carina, ma non di suo gusto, piena di odori estranei. Lei vive da un'altra parte. Vive in una stanza dove un albero picchietta gentilmente contro il vetro, mentre qualcuno fa calare una puntina sul piatto di un fonografo. Qui, in questa cucina, piatti bianchi sono impilati come se fossero nuovi, come arredi sacri, dietro le porte a vetri delle credenze. Una fila di vecchie pentole in terracotta, verniciate in varie tonalità di giallo cavillato, è disposta sul ripiano di granito. Clarissa riconosce queste cose, ma rimane separata da esse. Sente la presenza del suo stesso fantasma: la parte di lei allo stesso tempo più indistruttibilmente viva e meno distinta; la parte che non possiede nulla, che osserva con meraviglia e distacco, come una turista in un museo, una fila di pentole giallo brillante e un ripiano con una sola, singola briciola sopra, un rubinetto cromato da cui una goccia tremola, prende peso e cade. Lei e Sally hanno comprato tutte queste cose: riesce a ricordare ogni acquisto, ma adesso sente che tutti sono arbitrari – il rubinetto e il ripiano e le pentole e i piatti bianchi. Sono solo scelte, una cosa e poi un'altra, sì o no, e capisce quanto facilmente potrebbe sgusciare fuori da questa vita, da queste comodità vuote e arbitrarie. Potrebbe semplicemente andarsene e ritornare nell'altra sua casa, dove non esiste né Sally né Richard, dove c'è solo l'essenza di Clarissa, una ragazza cresciuta e divenuta donna, ancora piena di speranza, ancora capace di qualsiasi cosa. Le viene rivelato che tutto il suo dolore e la sua solitudine, e lo scricchiolante disagio che ne proviene, derivano solo dal far finta di vivere in questo appartamento, fra questi oggetti, con la gentile e nervosa Sally, e che se andasse via sarebbe felice, o più che felice. Sarebbe se stessa. Si sente brevemente, meravigliosamente sola, con tutto davanti a sé.

Poi la sensazione va avanti. Non finisce; non viene allontanata. Semplicemente va avanti, come un treno che si ferma in una piccola stazione di campagna, rimane per un po' e poi continua fuori dalla vista. Clarissa scarta i fiori, li mette nel lavabo. È delusa, ma piuttosto sollevata. In effetti, questi sono il suo appartamento, la sua collezione di pentole di coccio, la sua compagna, la sua vita. Non vuole altro. Sentendosi normale, né euforica né depressa, semplicemente presente come Clarissa Vaughan, una donna fortunata, professionalmente stimata, che dà una festa per un artista acclamato e mortalmente malato, ritorna in salotto a controllare i messaggi nella segreteria telefonica. La festa andrà bene o male. In ogni caso, lei e Sally ceneranno insieme dopo. Andranno a letto.

Sul nastro c'è il nuovo responsabile del rinfresco (ha un accento indistinguibile: e se fosse un incompetente?) che conferma la consegna per le tre. C'è un ospite che chiede il permesso di portare con sé un altro ospite, e un altro che annuncia che deve lasciare la città quella mattina per andare a trovare un amico d'infanzia malato di AIDS, malattia che si è trasformata, inaspettatamente, in leucemia.

L'apparecchio si spegne. Clarissa schiaccia il pulsante del *rewind*. Se Sally si è dimenticata di fare menzione del pranzo con Oliver St. Ives probabilmente è perché l'invito è stato fatto esclusivamente a lei. Oliver St. Ives, lo scandalo, l'eroe, non ha invitato Clarissa a pranzo. Oliver St. Ives, che ha rivelato la sua omosessualità in maniera spettacolare su *Vanity Fair* e ha, conseguentemente, perso il ruolo da protagonista in un costoso thriller, ha raggiunto più notorietà come attivista gay di quanta avrebbe mai potuto sperare di raggiungere se avesse continuato a fare l'eterosessuale e a sfornare film di serie B. Sally ha conosciuto Oliver quando lui ha partecipato al programma di interviste molto serio, molto intellettuale, che lei coproduce (programma che non lo avrebbe mai preso in considerazione, ovviamente, quando era solo un eroe di film d'azione e neanche uno di prima scelta). Sally è diventata una persona che lui invita a pranzo, sebbene lui e Clarissa si siano incontrati diverse volte fino a ora, e abbiano avuto quella che Clarissa ricorda come una conversazione lunga e sorprendentemente intima a una manifestazione di beneficenza. Non è importante che lei sia la donna nel libro (sebbene il libro, ovviamente, sia andato male, e sebbene Oliver, probabilmente, legga molto poco)? Oliver non ha detto a Sally: "Porta quella donna interessante con cui vivi." Ha probabilmente pensato che Clarissa fosse una moglie: solo una moglie. Clarissa ritorna in cucina. Non è gelosa di Sally, non è affatto così meschina, ma non può fare a meno di sentire, nell'essere stata rifiutata da Oliver St. Ives, il calo dell'interesse del mondo verso di lei e, con maggiore forza, il fatto che la cosa per lei conta, anche adesso, mentre prepara una festa per un uomo che può essere un grande artista e potrebbe non arrivare alla fine dell'anno. Sono superficiale, infinitamente superficiale, pensa. Comunque... Non essere invitata le sembra, in un certo senso, una dimostrazione minore della capacità del mondo di andare avanti senza di lei. Essere ignorata da Oliver St. Ives (che probabilmente non l'ha esclusa scientemente, ma semplicemente non ha pensato affatto a lei) ricorda la morte così come un diorama fatto da un bambino con una scatola da scarpe che rappresenta un evento storico ricorda l'evento stesso. È una cosa minuscola, brillante, misera, tutta feltro e colla. E tuttavia... Non è un fallimento, si dice. Non è un fallimento essere in queste stanze, nella tua pelle, a tagliare i gambi dei fiori. Non è un fallimento, ma ti chiede qualcosa: ti chiede uno sforzo; semplicemente essere, ed essere grata; essere felice (terribile parola). La gente non ti guarda più in strada o, se lo fa, non è con connotazioni sessuali di alcun tipo. Non vieni invitata a pranzo da Oliver St. Ives. Fuori dalla stretta finestra della cucina la città naviga e romba. Gli amanti litigano; i cassieri fanno suonare i registratori di cassa; ragazzi e ragazze comprano nuovi vestiti mentre la donna sotto l'arco di Washington Square canta: "*Iiiii*", e tu tagli la parte finale del gambo a una rosa e la metti in un vaso pieno di acqua tiepida. Cerchi di conservare questo momento, qui, in cucina, con i fiori. Provi ad abitarlo, ad amarlo, perché è tuo e perché ciò che aspetta immediatamente fuori da queste stanze è il corridoio, con le sue piastrelle marrone e le sue fioche lampade marrone sempre accese. Perché anche se la porta della roulotte si fosse aperta, la donna all'interno, fosse stata Meryl Streep o Vanessa

Redgrave o anche Susan Sarandon, sarebbe stata semplicemente quello, una donna in una roulotte, e non avresti alla fine potuto fare quello che volevi. Non avresti potuto accoglierla, lì, sulla strada, prenderla tra le braccia e piangere con lei. Sarebbe stato meraviglioso piangere così, nelle braccia di una donna che era allo stesso tempo un essere immortale e una persona stanca, spaventata, appena uscita da una roulotte. Ma più di tutto, tu sei viva, proprio qui nella tua cucina, proprio come Meryl Streep e Vanessa Redgrave sono vive da qualche parte, mentre il traffico sale dalla Sixth Avenue e le lame argentate delle forbici tagliano succosamente un gambo verde scuro.

L'estate dei suoi diciott'anni: sembrava potesse accadere qualsiasi cosa, proprio qualsiasi cosa. Sembrava che lei potesse baciare il suo serio, formidabile amico accanto allo stagno; sembrava che potessero dormire insieme in una strana combinazione di lussuria e innocenza, e non preoccuparsi di quello che significava, o se significava qualcosa. Era la casa, sicuramente, pensa. Senza la casa sarebbero rimasti tre laureandi che fumavano spinelli e discutevano nei dormitori della Columbia. Era la casa. È stata la catena di eventi iniziata dal fatale incontro della vecchia zia e dello zio con un camion nei sobborghi di Plymouth e dall'offerta dei genitori di Louis di usare, sia lui che i suoi amici, la casa di colpo libera per tutta l'estate, nella quale la lattuga era ancora fresca nel frigorifero e un gatto selvatico continuava a cercare con crescente impazienza gli avanzi che aveva sempre trovato fuori dalla porta della cucina. Erano la casa e il tempo – l'irrealtà estatica del tutto – che avevano contribuito a trasformare l'amicizia di Richard in un tipo d'amore più divorante, ed erano stati quegli stessi elementi, in realtà, che avevano portato Clarissa qui, in questa cucina di New York, dove calpesta un pavimento di ardesia italiana (uno sbaglio: è fredda e si macchia), a tagliare fiori e a lottare, con un successo solo moderato, per smetterla di dare peso al fatto che Oliver St. Ives, attivista e star del cinema in disgrazia, non l'abbia invitata a pranzo.

Non era tradimento, lei aveva insistito: era semplicemente un'espansione del possibile. Non pretendeva fedeltà da Richard – Dio ne scampi! – e non stava in alcun modo accampando diritti su proprietà che appartenevano a Louis. Neanche Louis la pensava così (o almeno non l'avrebbe mai ammesso, ma davvero poteva essere solo un caso il fatto che si fosse tagliato così spesso quell'estate, con vari arnesi e coltelli da cucina, e che fossero stati necessari due viaggi diversi dal medico locale per mettere dei punti?). Era il 1965: l'amore che veniva fatto poteva solo e semplicemente generarne altro. Sembrava possibile, almeno. Perché non fare sesso con tutti, se tu li volevi e loro volevano te? Quindi Richard continuava con Louis e cominciò con lei, e sembrava giusto, semplicemente giusto. Non che il sesso e l'amore non fossero complicati. I tentativi di Clarissa con Louis, per esempio, fallirono completamente. Lui non era interessato a lei, né lei a lui, nonostante la sua magnificata bellezza. Entrambi amavano Richard, entrambi volevano Richard, e la cosa avrebbe dovuto creare una sorta di legame tra loro. Non tutti erano fatti per diventare amanti, e non erano abbastanza ingenui per continuare a forzare ancora dopo un fallimento completo nel letto che Louis divise, per il resto dell'estate, solo con Richard, nelle notti in cui non era con Clarissa.

Quante volte da allora si è chiesta cosa sarebbe potuto accadere se avesse provato a rimanere con lui, se avesse ricambiato il bacio di Richard all'angolo fra Bleecker e MacDougal, se fosse andata via in qualche posto (dove?) con lui, se non avesse mai comprato l'incenso e la giacca di alpaca con i bottoni a forma di rosa. Non avrebbero potuto scoprire qualcosa... qualcosa di più grande e più strano di quello che hanno avuto? È impossibile non immaginare che l'altro futuro, il futuro rifiutato, si sarebbe svolto da qualche parte in Italia o in Francia, fra grandi stanze assolate e giardini; sarebbe stato fitto di infedeltà e grandi battaglie; sarebbe stato una grande e duratura storia d'amore basata sull'amicizia così bruciante e profonda che li avrebbe accompagnati fino alla tomba, e forse anche oltre. Pensa che sarebbe potuta entrare in un altro mondo. Avrebbe potuto avere una vita forte e pericolosa come la letteratura stessa.

O forse no, si dice Clarissa. È quello che ero. È quello che sono – una donna rispettabile con un bell'appartamento, con un matrimonio affettuoso e stabile, che dà una festa. Avventùrati troppo lontano per inseguire l'amore, si dice, e rinuncerai alla cittadinanza nel paese che hai costruito per te stessa. Finirai solo a navigare di porto in porto.

Tuttavia c'è questo senso di opportunità sprecata. Forse non c'è niente, mai, che possa eguagliare la memoria dell'essere stati giovani insieme. Forse è tutto qui. Richard era la persona che Clarissa amava nel suo momento più ottimista. Richard era stato al suo fianco vicino a uno stagno al tramonto, con dei jeans tagliati e sandali di gomma. Richard l'aveva chiamata "signora Dalloway" e si erano baciati. La bocca di lui si era aperta su quella di lei; la lingua di lui (eccitante e totalmente familiare, non potrebbe dimenticarla mai) si era fatta strada timidamente fino a incontrare la sua. Si erano baciati e avevano camminato intorno allo stagno insieme. Dopo un'ora, avrebbero cenato e avrebbero bevuto considerevoli quantità di vino. La sua copia del *Taccuino d'Oro* era sul comodino bianco intarsiato della stanza da letto in soffitta dove lei ancora dormiva sola, dove Richard non aveva ancora cominciato a trascorrere una notte sì e una no.

Era sembrato l'inizio della felicità, e a volte Clarissa è ancora scioccata, più di trent'anni dopo, nel realizzare che *era* felicità, che tutta l'esperienza si racchiudeva in un bacio e una passeggiata, nell'attesa di una cena e di un libro. La cena adesso è dimenticata. La Lessing è stata di gran lunga soppiantata da altri scrittori, e anche il sesso, una volta che lei e Richard raggiunsero il punto, fu ardente ma goffo, insoddisfacente, più dolce che appassionato. Ciò che rimane limpido nella sua mente, più di tre decenni dopo, è un bacio al tramonto su uno spiazzo d'erba morta e una passeggiata intorno a uno stagno, mentre le zanzare ronzavano nell'aria che si scuriva. C'è ancora quella singolare perfezione, ed è perfetto in parte perché sembrava, all'epoca, promettere così chiaramente altro. Ora lei sa. Quello era il momento, proprio allora. Non ce n'è stato un altro.

La signora Brown

La torta è meno bella di quanto lei aveva sperato che fosse. Cerca di non dar peso alla cosa. È solo una torta, si dice. Solo una torta. Lei e Richie l'hanno glassata, e lei ha colpevolmente inventato qualcos'altro da fare per il bambino mentre componeva delle roselline gialle sui bordi con la siringa e scriveva: "Buon compleanno Dan" con la glassa bianca. Non voleva il pasticcio che avrebbe fatto suo figlio. Comunque non è venuta come lei se l'era immaginata: no, per niente. Non ha niente che davvero non vada, ma si era immaginata qualcosa di più. Se l'era immaginata più grande, più straordinaria. Aveva sperato (lo ammette solo con se stessa) che sarebbe stata più ricca e più bella, più strepitosa. La torta che ha fatto le sembra piccola: non solo in senso fisico, ma nella sua entità. Sembra amatoriale, fatta in casa. Si dice: è bella. È una bella torta, piacerà a tutti. Il suo aspetto sgraziato (la dispersione di briciole nella glassa, la "n" schiacciata in "Dan", arrivata troppo vicino a una rosa) fa parte del suo fascino. Lava i piatti. Pensa al resto della giornata.

Rifarà i letti, passerà l'aspirapolvere sui tappeti. Impacchetterà i regali che ha comprato per il marito: una cravatta e una camicia, entrambe più costose ed eleganti di quelle che lui si compra; una spazzola di setole di cinghiale; una scatolina di pelle dall'odore forte che contiene un tagliaunghie, una limetta e delle pinzette, da portare con sé quando viaggia, come talvolta gli capita di fare, per l'agenzia. Sarà contento per tutti questi regali, o perlomeno si mostrerà tale; fischierà e dirà "Guarda che roba!" quando vedrà la camicia e la cravatta costosa. La bacerà, con entusiasmo, per ogni regalo, e le dirà che ha fatto troppo, che non avrebbe dovuto, che lui non si merita cose così belle. Perché, si chiede, lei potrebbe dargli qualsiasi cosa, davvero qualsiasi cosa, e ottenere essenzialmente sempre la stessa risposta? Perché lui non desidera niente, davvero, più di quello che ha già? È impenetrabile per quanto riguarda le sue ambizioni e i suoi piaceri, il suo amore per il lavoro e per la casa. Questa, ricorda a se stessa, è una virtù. È parte del suo essere "amabile" (non userebbe mai questa parola in sua presenza, ma da sola pensa a lui come a una persona "amabile", davvero amabile, perché lei l'hai visto nei momenti più privati, quando piagnucola nel sogno, o è seduto nella vasca da bagno con il sesso ridotto a un moncherino, galleggiante, tanto innocente da spezzare il cuore). È una cosa buona, ricorda a se stessa – è una cosa "amabile" – che suo marito non possa essere toccato da oggetti effimeri, che la sua felicità dipenda solo da lei che qui, in questa casa, pensa a lui.

La sua torta è un fallimento, ma lei riceve comunque amore. Viene amata, pensa, più o meno nel modo in cui i regali verranno apprezzati: perché sono stati dati con buone intenzioni, perché esistono, perché fanno parte di un mondo in cui si vuole entrare.

Cosa preferirebbe allora? Preferirebbe che i suoi regali venissero disprezzati, che la sua torta venisse derisa? Naturalmente, no: lei vuole essere amata. Vuole essere una madre brava che legge una fiaba al figlio, vuole essere una moglie che apparecchia una tavola perfetta. Non vuole, non vuole affatto essere una donna strana, una creatura patetica, piena di stranezze, di rabbia, solitaria, cupa, una persona sopportata ma non amata.

Virginia Woolf si mise una pietra nella tasca del cappotto, entrò in un fiume e annegò.

Laura non darà spazio a questi pensieri morbosi. Rifarà i letti, passerà l'aspirapolvere, preparerà la cena di compleanno. Non si preoccuperà, di niente.

Qualcuno bussa alla porta sul retro. Laura, lavando l'ultimo piatto, riesce a vedere la sagoma incerta di Kitty attraverso la tenda bianca, quasi trasparente. Ecco l'alone dei capelli biondo scuro di Kitty, lo sfocato rosa slavato del suo volto. Laura reprime una fitta di eccitazione, e qualcosa di più forte dell'eccitazione, qualcosa che assomiglia al panico. Sta per ricevere una visita di Kitty. Si è a malapena spazzolata i capelli; porta ancora l'accappatoio. Sembra, troppo, l'Addolorata. Vuole correre alla porta e vuole restare lì, immobile al lavandino, finché Kitty non rinunci e vada via. Potrebbe davvero farlo, restare immobile, trattenere il respiro (Kitty può vedere all'interno, lo saprebbe?), ma c'è il problema di Richie, testimone di tutto, che adesso corre in cucina, con un camion di plastica rossa in mano, e grida con un misto di gioia e allarme che c'è qualcuno alla porta.

Laura si asciuga le mani con uno straccio costellato di galli rossi, e apre la porta. È soltanto Kitty, si dice. È la sua unica amica, che abita due porte più giù, e questo è, ovviamente, ciò che fa la gente. Si presenta alla porta e viene ricevuta: non importa dei capelli o dell'accappatoio. Non importa della torta.

"Ciao, Kitty," dice lei.

"Interrompo qualcosa?" chiede Kitty.

"Certo che no. Vieni dentro."

Kitty entra e porta con sé un'aura di pulizia e una filosofia domestica: un intero vocabolario di movimenti avidi, nervosi. È una donna attraente, robusta, rotonda, con la testa grande, di alcuni anni più giovane di Laura (sembra che tutti, improvvisamente siano leggermente più giovani di lei). I lineamenti di Kitty, i suoi occhi piccoli e il suo naso delicato, si affollano al centro di un volto rotondo. A scuola era una delle poche ragazze autoritarie, aggressive, non troppo belle ma così potenti per i loro soldi e la loro prestanza atletica che semplicemente stavano dove stavano e insistevano che la locale nozione di desiderabilità venisse riconfigurata per includerle. Kitty e le sue amiche – salde, solide, con lineamenti forti e grandi energie, capaci di profonde lealtà e terribili crudeltà – erano le regine delle varie manifestazioni, le ragazze pon-pon, le protagoniste delle rappresentazioni.

"Ho bisogno di un favore," dice Kitty.

"Certo," dice Laura. "Vuoi sederti un minuto?"

"Mm-hm," fa Kitty rivolta al tavolo della cucina. Dice un "ciao" amichevole, leggermente poco affezionato al bambino, mentre lui la osserva con aria sospettosa, anche arrabbiata (perché è venuta?) da un posto di relativa sicurezza accanto al fornello. Kitty, che non ha ancora bambini (la gente comincia a chiedersi perché) non cerca di sedurre i bambini degli altri. Possono venire da lei, se vogliono; lei non va da loro.

"Ho messo su il caffè," dice Laura. "Ti va una tazza?"

"Certo."

Versa una tazza di caffè per Kitty e una per sé. Lancia un'occhiata nervosa alla torta, sperando di poterla nascondere. Ci sono briciole nella glassa. La "n" di "Dan" è schiacciata contro una rosa.

Seguendo lo sguardo di Laura, Kitty dice: "Oh, guarda, hai fatto una torta."

"È il compleanno di Dan."

Kitty si alza, si avvicina e si mette accanto a Laura. Porta una camicetta bianca a mezze maniche, pantaloncini verdi a quadri e sandali di paglia che producono un suono sottile e scricchiolante quando cammina.

"Oh, guarda," dice.

"Uno dei miei primi tentativi," dice Laura. "È più difficile di quanto si creda, scrivere con la glassa."

Spera di suonare tranquilla, cordiale, affettuosamente incurante. Perché ha messo prima le rose, quando qualunque idiota avrebbe capito che bisognava cominciare dalla scritta? Prende una sigaretta. Lei è una che fuma e beve caffè al mattino, che sta mettendo su una famiglia, che ha Kitty per amica, che non si preoccupa se le sue torte non sono così perfette. Si accende la sigaretta.

"È carina," dice Kitty, e smonta la sua sicurezza da sigaretta appena accesa. La torta è carina, le dice Kitty, come potrebbe essere carino il disegno di un bambino. È dolce e toccante nella sua profonda e dolorosamente sincera discrepanza tra ambizione e capacità. Laura capisce. Ci sono solo due scelte. Puoi essere capace o puoi disinteressartene. Puoi produrre una torta magistrale con le tue stesse mani o, cancellando quello, puoi accenderti una sigaretta, dichiararti incapace di simili imprese, versarti un'altra tazza di caffè e ordinare una torta in pasticceria. Laura è una dilettante che ha provato, e fallito, pubblicamente. Ha prodotto qualcosa di "carino", quando aveva sperato (è imbarazzante, ma vero) di produrre qualcosa di "bello".

"Quand'è il compleanno di Ray," dice, perché deve dire qualcosa.

"Settembre," risponde Kitty. Ritorna al tavolo. Che altro si può dire della torta?

Laura la raggiunge con le tazze di caffè. Kitty ha bisogno di amici (il fascino del marito, serio e leggermente imbambolato, non sta portando a molto nel mondo reale, e poi c'è la questione del non avere figli), e quindi Laura è una persona a cui lei fa visita, una persona a cui chiede favori. Tuttavia entrambe sanno con quanta implacabilità Kitty l'avrebbe snobbata a scuola, se avessero avuto la stessa età. In un'altra vita, non molto diversa da questa, sarebbero state nemiche, ma in questa vita, con le sue sorprese e le crudeltà che si distribuiscono equamente nel tempo, Laura è sposata a un uomo ammirato, un eroe di guerra, che era nella classe di laurea di Kitty, e si è unita all'aristocrazia proprio come una semplice principessa tedesca, non più giovane, avrebbe potuto finire seduta su un trono accanto a un re inglese.

Ciò che la sorprende – che talvolta le fa orrore – è quanto le piaccia l'amicizia di Kitty. Kitty è perfetta, proprio come suo marito è amabile. La perfezione di Kitty, la sua calma dorata, il senso di espansione che porta in una stanza è come quello di una star del cinema. Ha la particolarità di una star del cinema, la bellezza viziata ed eccentrica di una star del cinema; come una star del cinema sembra allo stesso tempo comune e diversa, come Olivia De Havilland o Barbara Stanwyck. È veramente, quasi profondamente, popolare.

"Come *sta* Ray?" chiede Laura mentre mette la tazza davanti a Kitty. "È un po' che non lo vedo."

Il marito di Kitty rappresenta l'occasione per Laura di pareggiare l'equilibrio fra di loro, di offrire a Kitty la sua simpatia. Ray non è esattamente imbarazzante – non è un fallimento totale –, ma è in un certo senso la versione di Kitty della torta di Laura, più in grande. Era già il ragazzo di Kitty a scuola. Giocava da centro nella squadra di basket, ed è andato bene, ma non spettacolarmente alla University of Southern California. Ha trascorso alcuni mesi come prigioniero di guerra nelle Filippine. Adesso è una specie di misterioso funzionario nel Dipartimento Acque ed Energia e, a trent'anni, sta dimostrando come dei ragazzi eroici possano, a passi infinitesimali e senza alcuna ragione apparente, trasformarsi in sconfitti di mezz'età. Ray ha i capelli a spazzola, è affidabile, miope; è pieno di liquidi. Suda copiosamente. Piccole bolle di saliva chiara si formano agli angoli della sua bocca tutte le volte che parla a lungo. Laura immagina (è impossibile non farlo) che quando fanno l'amore lui deve sprizzare fiumi – al contrario del modesto gorgoglio di suo marito. Perché allora non ci sono ancora bambini?

"Sta bene," dice Kitty. "È Ray. Sempre uguale."

"Anche Dan è sempre lo stesso," dice Laura, con partecipazione, enfaticamente. "Che ragazzi, eh?"

Pensa ai regali che ha comprato per il marito: regali che apprezzerà, che gli piaceranno anche, ma che non vuole davvero. Perché lo ha sposato? Lo ha sposato per amore. Lo ha sposato per un sentimento di colpa, per paura di rimanere sola, per patriottismo. Era semplicemente troppo buono, troppo gentile, troppo onesto, e aveva un odore troppo gradevole per non sposarlo. Aveva sofferto tanto. La voleva.

Si tocca la pancia.

Kitty dice: "Puoi dirlo forte."

"Non ti chiedi mai cos'è che li fa funzionare? Voglio dire, Dan è come un bulldozer. Sembra che niente lo possa turbare."

Kitty solleva le spalle con enfasi, alza gli occhi al cielo. Lei e Laura, in questo momento, potrebbero essere ragazze del liceo, molto amiche, che si lamentano di ragazzi che presto verranno rimpiazzati da altri ragazzi. A Laura piacerebbe fare a Kitty una domanda, una che non riesce a formulare. La domanda deve avere a che fare con il sotterfugio e, più oscuramente, con lo splendore: vorrebbe sapere se Kitty si sente una donna strana, potente e squilibrata come si dice siano gli artisti, piena di visioni, piena di rabbia, impegnata soprattutto a creare... cosa? Questo. Questa cucina, questa torta di compleanno, questa conversazione, questo mondo ritornato in vita.

Laura dice: "Ci dobbiamo rivedere presto, davvero. Sono passati secoli."

"Questo caffè è proprio buono," dice Kitty, sorseggiando. "Che marca usi?"

"Non lo so. No, ovviamente lo so. Folgers. Tu che marca usi?"

"Maxwell House. È buona anche quella."

"Mm-hm."

"Però sto pensando di cambiare. Non so perché, in realtà."

"Be', questo è Folgers."

"Sì. È buono."

Kitty guarda nella sua tazza di caffè con un interesse studiatamente falso, assurdo. Sembra, per un momento, una donna semplice, ordinaria, seduta a un tavolo di cucina. La sua magia si dissolve; è possibile vedere come sarà a cinquant'anni – sarà grassa, mascolina, coriacea, con le ossa storte e farà battute sul suo matrimonio; una di quelle donne di cui la gente dice: "*Era piuttosto carina, sai.*" Il mondo sta già, impercettibilmente, cominciando a lasciarsela alle spalle. Laura spegne la sigaretta, pensa di accenderne un'altra, ci ripensa. Fa con naturalezza del buon caffè; si prende cura di marito e figlio; vive in questa casa dove nessuno desidera, nessuno deve qualcosa, nessuno soffre. È in attesa di un altro bambino. Cosa importa se non è né affascinante né un modello di competenza domestica?

"Allora..." dice a Kitty. È sorpresa dalla potenza della sua stessa voce; ha il sapore dell'acciaio.

"Bene..." dice Kitty.

"Che c'è? È tutto a posto?"

Kitty resta seduta senza muoversi per un momento, non guarda Laura e non distoglie lo sguardo da lei. Si raccoglie in se stessa. Siede nel modo in cui si siede fra sconosciuti in treno.

Dice: "Devo andare in ospedale per un paio di giorni."

"Qual è il problema?"

"Non lo sanno con precisione. Ho una specie di escrescenza."

"Signore."

"È dentro. Dentro di me."

"Cosa?"

"Nel mio *utero*. Devono entrare e dare un'occhiata."

"Quando?"

"Questo pomeriggio. Il dottor Rich ha detto che prima è, meglio è. Dovresti dar da mangiare al cane."

"Certo. Cosa ha *detto* il dottore, esattamente?"

"Solo che c'è qualcosa lì, e devono scoprire cosa. È probabilmente questo che ha dato problemi. Per rimanere incinta."

"Bene," dice Laura. "Possono sbarazzarsene."

"Dice che devono vedere. Dice che non c'è da preoccuparsi, per niente, ma che devono vedere."

Laura osserva Kitty, che non si muove o parla: non piange.

"Andrà tutto bene," dice Laura.

"Sì. Probabilmente sì. Non sono preoccupata. A che servirebbe preoccuparsi?"

Laura è piena di dolore e tenerezza. Ecco Kitty, la potente. Kitty, la Regina di Maggio, ammalata e spaventata. Ecco l'orologio d'oro così carino di Kitty; ecco il rapido svelamento della sua vita. Laura ha sempre immaginato, come gli altri, che fosse Ray il problema – Ray con il suo oscuro lavoro in un ufficio municipale, le sue bollicine di saliva, la sua cravatta a farfalla, il suo bourbon. Kitty sembrava, fino a questo momento, una figura di luminosa e tragica dignità – una donna che rimane al fianco del suo uomo. Molti di questi uomini non sono affatto ciò che erano (a nessuno piace parlarne); molte donne convivono senza lamentarsi con stranezze e silenzi, crisi depressive, alcol. Kitty sembrava, semplicemente, eroica.

Viene fuori, invece, che il problema è dalla parte di Kitty. Laura sa, o crede di sapere, che in effetti c'è qualcosa di cui preoccuparsi. Vede che Kitty e Ray, con la loro graziosa casetta, sono assaliti dalla sfortuna, ne sono semidivorati. Kitty, dopo tutto, potrebbe non diventare mai quella robusta, coriacea cinquantenne.

"Vieni qui," dice Laura, come direbbe al suo bambino, e come se Kitty fosse il bambino di Laura, non aspetta che obbedisca, ma va da lei. Prende le spalle di Kitty tra le mani e, dopo un momento d'imbarazzo, si piega fino a essere praticamente in ginocchio. È conscia di quanto sia grande, alta, accanto a Kitty. La abbraccia.

Kitty esita, poi si lascia abbracciare. Si arrende. Non piange. Laura riesce ad avvertire l'abbandono: può sentire Kitty che si lascia andare. Pensa: ecco come si sente un uomo, stringendo una donna.

Kitty fa scivolare il braccio intorno alla vita di Laura. Laura è sommersa dal sentimento. Qui, proprio tra le sue braccia, ci sono la paura e il coraggio di Kitty, la malattia di Kitty. Qui c'è il suo seno. Qui c'è il cuore robusto e attivo che batte. Qui ci sono le forti, acquose luci del suo essere – luci rosa scuro, rosso oro, che brillano, guizzanti; luci che raccolgono e disperdono. Qui ci sono le profondità di Kitty, il cuore dietro il cuore, l'intoccabile essenza di cui un uomo (Ray, fra tutti!) sogna, a cui aspira, che cerca così disperatamente di notte. Qui, nella luce del giorno, tra le braccia di Laura. Senza un'intenzione precisa, senza decidere di farlo, bacia Kitty, indugiando, sulla fronte. Si riempie del profumo di Kitty e dell'aroma fresco e pulito dei suoi capelli biondo scuro.

"Sto bene," sussurra Kitty. "Davvero."

"Sì, lo so," risponde Laura.

"Semmai mi preoccupo per Ray. Non ce la fa tanto, non con una cosa così."

"Dimentica Ray per un minuto," dice Laura. "Dimenticatelo e basta."

Kitty annuisce contro il petto di Laura. La domanda è stata fatta in silenzio, e ha avuto una risposta silenziosa, sembra. Sono entrambe addolorate ed entrambe benedette, piene di segreti che hanno condiviso; entrambe combattono ogni momento. Ciascuna sta impersonando qualcuno. Sono affaticate e assillate; si sono assunte un impegno enorme.

Kitty solleva il volto e le loro labbra si toccano. Sanno entrambe cosa stanno facendo. Riposano le loro bocche, l'una sull'altra. Le labbra si toccano, ma non si baciano.

È Kitty che si ritira.

"Sei dolce," dice.

Laura lascia andare Kitty. Fa un passo indietro. È andata troppo oltre, entrambe sono andate troppo oltre, ma è Kitty che si è ritirata per prima. È Kitty, i cui terrori l'hanno brevemente spinta, e hanno fatto in modo che si comportasse in maniera strana e disperata. Laura è il predatore con gli occhi scuri. Laura è quella strana, la straniera, quella di cui non ci si può fidare. Laura e Kitty convengono, in silenzio, che tutto ciò è vero.

Laura lancia uno sguardo a Richie: sta ancora reggendo il camion rosso. Sta ancora osservando.

"Non preoccuparti," dice Laura a Kitty. "Starai bene."

Kitty resta immobile, piena di grazia, indugia. "Sai tutto, no? Gli dai mezza scatoletta di sera e controlli la sua acqua ogni tanto. Ray può dargli da mangiare di mattina."

"Ti accompagna Ray all'ospedale?"

"Mm-hm."

"Non preoccuparti, mi occuperò io delle cose qui."

"Grazie."

Kitty guarda brevemente la stanza con un'espressione di stanca approvazione, come se avesse deciso, in qualche modo contro il suo stesso parere, di comprare comunque questa casa, e vedere cosa possono fare per metterla a posto.

"Ciao," dice.

"Ti chiamo domani, in ospedale."

"Va bene."

Con un sorriso riluttante, una piccola compressione delle labbra, Kitty si gira e se ne va.

Laura guarda il suo bambino, che la fissa con nervosismo, con sospetto, con adorazione. È soprattutto stanca: più di ogni altra cosa, vuole ritornare a letto e al suo libro. Il mondo, questo mondo, sembra improvvisamente stordito e striminzito, lontano da tutto. C'è il calore che cade pesante su strade e case; c'è la singola fila di negozi a cui ci si riferisce qui come al "centro". Ci sono il supermarket e l'emporio e la lavanderia a secco; ci sono il salone di bellezza e la cartoleria e il negozio supereconomico;

c'è la biblioteca a un piano con gli stucchi, i giornali con le stecche di legno e gli scaffali di libri addormentati.

... la vita, Londra, questo momento di giugno.

Laura riporta il figlio nel salotto, lo rimette davanti alla sua torre di blocchi di legno colorato. Una volta che lui è sistemato, ritorna in cucina e, senza alcuna esitazione, prende la torta e la fa scivolare dal piatto bianco latte nel cestino della spazzatura. Atterra con un suono sorprendentemente solido; una rosa gialla si è spalmata contro il lato curvo del cestino. Si sente immediatamente sollevata, come se delle stringhe d'acciaio intorno al suo petto fossero state allentate. Può ricominciare, adesso. Secondo l'orologio a muro sono appena le dieci e trenta. Ha tutto il tempo per fare un'altra torta. Questa volta impedirà alle briciole di finire nella glassa. Questa volta traccerà le lettere con uno stuzzicadenti, così saranno centrate, e lascerà le rose come ultima cosa.

La signora Woolf

Sta leggendo le bozze con Leonard e Ralph quando Lottie annuncia che la signora Bell e i bambini sono arrivati.

"Non è possibile," dice Virginia. "Non sono ancora le due e trenta. Dovevano arrivare alle quattro."

"Sono qui, signora," dice Lottie, con il suo tono leggermente imbambolato. "La signora Bell è andata direttamente in salotto."

Marjorie solleva lo sguardo dal pacco di libri che sta chiudendo con lo spago (lei, a differenza di Ralph, fa arrendevolmente pacchi e mette in ordine i caratteri: il che è una fortuna e una delusione). Dice: "Sono già le due e trenta? Speravo di aver finito per quest'ora." Virginia non sobbalza, non visibilmente, al suono della voce di Marjorie.

Leonard dice a Virginia con aria grave: "Non posso smettere di lavorare. Mi farò vedere per un po' alle quattro, e se Vanessa decide di trattenersi, la incontrerò allora."

"Non preoccuparti, penserò io a Vanessa," dice Virginia e, mentre si alza, si accorge del suo vestito da casa tutto sciupato, dei suoi capelli disordinati e flosci. È solo mia sorella, pensa. Però, dopo tutto questo tempo, dopo quello che è successo, vuole provocare in Vanessa una certa ammirazione sorpresa. Comunque vuole che sua sorella pensi: la capretta ha proprio un bell'aspetto, vero?

Virginia non ha particolarmente un bell'aspetto, e non c'è granché che possa farci, ma per le quattro almeno avrebbe messo a posto i capelli e si sarebbe cambiata il vestito. Segue Lottie di sopra, e mentre supera lo specchio ovale che è appeso nell'ingresso, è tentata, per un momento, di guardare il suo riflesso. Ma non ci riesce. Raddrizzando le spalle, entra nel salotto. Vanessa sarà il suo specchio, come è sempre stata. Vanessa nella sua barca, nella sua striscia costiera di verde dove le api ronzano tra i vitigni.

Bacia Vanessa, castamente, sulla bocca.

"Cara," dice Virginia, stringendo le spalle della sorella. "Se ti dico quanto sono contenta di vederti, sono sicura che puoi immaginare quanto sono stata entusiasta di vederti proprio all'ora in cui eri attesa."

Vanessa ride. Vanessa ha un volto solido, la pelle di un rosa caldo, brillante. Anche se ha tre anni di più, sembra più giovane di Virginia, ed entrambe lo sanno. Se Virginia ha la bellezza austera e secca di un affresco di Giotto, Vanessa somiglia più a una figura scolpita in marmo rosa da un artista minore ma di talento del tardo barocco. È una figura chiaramente terrestre e ornamentale, tutta onde e svolazzi, resa in un affettuoso, quasi sentimentale tentativo di ritrarre uno stato di umana abbondanza, così copioso da arrivare quasi all'etereo.

"Perdonami," dice Vanessa. "Abbiamo finito a Londra prima di quanto credessi, e la nostra unica alternativa era di guidare in tondo per Richmond fino alle quattro."

"E che hai fatto con i bambini?" chiede Virginia.

"Sono andati in giardino. Quentin ha trovato un uccellino morente sulla strada, e credono che abbia bisogno di stare in giardino."

"Sono sicura che la loro vecchia zia Virginia non può competere con questo evento. Li raggiungiamo?"

Mentre escono di casa, Vanessa prende la mano di Virginia proprio come prenderebbe la mano di uno dei suoi bambini. È irritante quasi quanto è confortante che Vanessa senta un tale senso di proprietà, che si senta sicura di poter arrivare più di un'ora e mezzo prima di quando è stata invitata. Eccola, quindi; ecco la sua mano. Se solo Virginia avesse il tempo di fare qualcosa per i suoi capelli.

Dice: "Ho mandato Nelly a Londra per prendere dello zenzero ricoperto di zucchero per il nostro tè. Sarà tutto qui fra circa un'ora, insieme a un bel sorso del sangue del cuore di Nelly."

"È quello che Nelly deve fare," dice Vanessa. Sì, pensa Virginia, eccolo, proprio quel tono di dura, pietosa carità – ecco come si parla ai domestici, e alle sorelle. C'è un'arte in questo, come c'è un'arte in tutto, e molto di ciò che Vanessa ha da insegnare è contenuto in questi gesti apparentemente naturali. Si arriva tardi o presto, dichiarando apertamente che non si poteva fare altrimenti. Si offre la mano con sicurezza materna. Si dice: "È quello che Nelly deve fare", e così si perdona insieme domestica e padrona.

Nel giardino, i bambini di Vanessa sono in ginocchio in cerchio sul prato, vicino ai cespugli di rose. Quanto sono sorprendenti: tre esseri umani, completamente vestiti, sbucati dal nulla. Un momento ci sono due sorelle, devote l'una all'altra, petto contro petto, labbra pronte; poi il momento successivo ci sono due donne sposate di mezz'età che stanno insieme in un piccolo pezzo di giardino davanti a una quantità di bambini (di Vanessa, ovviamente, tutti di Vanessa; non ce n'è nessuno di Virginia, e non ce ne sarà nessuno). Ecco Julian, bello e serio; ecco il rubizzo Quentin che tiene l'uccellino (un tordo) nelle mani rosse; ecco la piccola Angelica, accoccolata leggermente discosta dai suoi fratelli, spaventata, affascinata da questo mucchietto di piume grigie. Anni fa, quando Julian era un bambino, quando Virginia e Vanessa stavano pensando a nomi per bambini e personaggi di romanzo, Virginia aveva suggerito che Vanessa chiamasse la sua futura bambina "Clarissa".

"Ciao bambini mostri," saluta Virginia.

"Abbiamo trovato un uccello," annuncia Angelica. "È malato."

"Ho saputo," dice Virginia.

"È vivo," dice Quentin, con gravità accademica. "Credo che potremmo riuscire a salvarlo."

Vanessa stringe la mano di Virginia. Oh, pensa Virginia, appena prima del tè, ecco la morte. Cosa si dice esattamente ai bambini, o a chiunque?

"Possiamo fare in modo che stia più comodo," dice Vanessa. "Ma questo è il momento di morire per l'uccello: non è una cosa che possiamo cambiare."

Semplicemente così, la cucitrice taglia il filo. È questo, bambini, niente di meno e niente di più. Vanessa non fa del male ai figli, ma non mente loro, nemmeno per compassione.

"Dovremmo prepararglia una scatola," dice Quentin, "e portarlo in casa."

"Non credo," risponde Vanessa. "È un animale libero, vorrà morire all'aperto."

"Faremo un funerale," dice Angelica, allegramente. "Io canterò."

"È ancora vivo," le dice Quentin seccamente.

Benedetto Quentin, pensa Virginia. Sarai tu che un giorno mi terrai la mano e aspetterai il mio respiro finale, mentre tutti gli altri provano in segreto i discorsi che faranno durante la cerimonia?

Julian dice: "Faremo un giaciglio d'erba per lui. Angie, ne prendi un po'?"

"Sì, Julian," dice Angelica. Obbediente, si impegna a tirare su manciate d'erba.

Julian, ah, Julian. C'è mai stata una prova più persuasiva della fondamentale ingiustizia della natura di quella che offre Julian, il maggiore dei figli di Vanessa, quindici anni? Julian è brusco e risoluto, regale; possiede una bellezza muscolare e piena di grazia, equina, così naturale da suggerire che la bellezza stessa sia una condizione umana fondamentale e non una mutazione del disegno generale. Quentin (benedetto), con tutto il suo cervello e la sua ironia, potrebbe essere già, a tredici anni, un valente colonnello dal volto rubizzo nella cavalleria reale, e Angelica, stupendamente proporzionata, fa intuire anche a cinque anni una grazia perfettamente saldata, lattea, che quasi certamente non durerà oltre la giovinezza. Julian, il primogenito, è evidentemente e naturalmente l'eroe di questa storia familiare, il ricettacolo delle sue più sfrenate speranze – chi può avercela con Vanessa se è il suo preferito?

"Prendiamo anche delle rose?" dice Virginia ad Angelica.

"Sì," dice Angelica, ancora alle prese con l'erba. "Quelle gialle."

Prima di andare con Angelica nel roseto, Virginia resta lì ancora un momento, mano nella mano con Vanessa, osservando i bambini della sorella come se fossero uno specchio d'acqua in cui lei potrebbe o non potrebbe immergersi. Questo, pensa Virginia, è un vero risultato; questo vivrà dopo che i grandi esperimenti narrativi saranno stati accantonati con le vecchie fotografie, i vestiti di lusso, i piatti di porcellana in cui la nonna ha dipinto i suoi malinconici, fantastici paesaggi.

Libera la mano e va nel giardino, dove si inginocchia accanto ad Angelica e la aiuta a fare un giaciglio in cui il tordo possa morire. Quentin e Julian stanno in piedi lì accanto, ma Angelica è chiaramente il membro più entusiasta della cerimonia funebre, quello il cui gusto per le decorazioni e le convenzioni deve essere rispettato. Angelica, in un certo senso, è la vedova.

"Ecco, così," dice Virginia, mentre lei e Angelica dispongono l'erba in un mucchietto ondoso. "Dovrebbe stare abbastanza comoda, credo."

"È una femmina?" chiede Angelica.

"Sì. Le femmine sono più grandi e un po' più grigie."

"Ha fatto le uova?"

Virginia esita. "Non lo so," dice. "Non possiamo saperlo, come facciamo?"

"Quando è morta, cercherò le uova."

"Se vuoi. Ci dev'essere un nido sulle grondaie, da qualche parte."

"Le troverò," dice Angelica. "E le coverò."

Quentin ride. "Ti ci siederai sopra?" dice.

"No, stupido. Le coverò."

"Ah," dice Quentin, e senza aver bisogno di guardarli, Virginia sa che lui e Julian stanno ridendo, sommessamente, di Angelica e forse, per estensione, di lei. Anche adesso, in questa tarda epoca, gli uomini ancora prendono la morte nelle loro capaci mani e ridono affettuosamente delle donne, che preparano giacigli funebri e parlano di resuscitare le particelle di vita nascente abbandonate sulla terra, per magia o pura forza di volontà.

"Va bene, allora," dice Virginia. "Siamo pronti per la sepoltura."

"No," dice Angelica. "Ci sono ancora le rose."

"Giusto," risponde Virginia. È quasi sul punto di protestare che dovrebbe essere messo a giacere l'uccellino, prima di disporre le rose intorno al suo corpo. È chiaramente così che dovrebbe essere fatto. Crede che potrebbe mettersi a discutere con una bambina di cinque anni di queste cose. Lo farebbe, se Vanessa e i bambini non stessero guardando.

Angelica prende una delle rose gialle che hanno raccolto e la sistema, con cura, lungo il bordo del monticello di erba. Ne aggiunge un'altra e un'altra ancora, fino a creare una specie di cerchio di boccioli di rosa, steli spinosi e foglie.

"È bello," dice, e sorprendentemente lo è. Virginia guarda con piacere e sorpresa questo modesto cerchio di spine e fiori, questo letto di morte selvatico. Le piacerebbe stendersi sopra.

"La mettiamo sopra, allora?" dice dolcemente ad Angelica.

Virginia si china verso Angelica come se dividessero un segreto. Una forza scorre tra loro, una complicità che non è materna né erotica, ma contiene elementi di entrambe. C'è come una comprensione. Una comprensione troppo ampia per esprimerla a parole. Virginia riesce a sentirla, come riesce a sentire il clima sulla sua pelle, ma quando scruta il volto di Angelica, si accorge dai suoi occhi brillanti e vacui che sta già diventando impaziente per il gioco. Ha preparato erba e rose; adesso vuole disfarsi dell'uccello il più in fretta possibile e andare in cerca del nido.

"Sì," dice Angelica. Già a cinque anni sa fingere entusiasmo e serietà per il compito che deve svolgere, quando tutto ciò che vuole è che qualcuno ammiri il suo lavoro, e poi la lasci libera. Quentin si inginocchia con l'uccello e con gentilezza, con incommensurabile gentilezza, lo depone sull'erba. Oh, se gli uomini fossero i bruti e le donne gli angeli – se fosse così semplice. Virginia pensa a Leonard che si acciglia sulle bozze, intento a scovare non solo gli errori di stampa, ma qualunque traccia di mediocrità gli errori comportino. Pensa a Julian l'estate scorsa, che voga lungo l'Ouse, le maniche rimboccate ai gomiti, e come le fosse sembrato quello il giorno, il momento in cui era diventato un uomo, e non era più un bambino.

Quando Quentin ritira la mano, Virginia vede che l'uccello è disteso sull'erba in maniera compatta, le ali ripiegate sul corpo.

Sa che è già morto, tra le palme delle mani di Quentin. Sembra aver voluto fare di se stesso il minimo ingombro possibile. Il suo occhio, una perfetta perlina nera, è aperto, e le sue zampe grigie, più grandi di quanto ci si potrebbe aspettare, sono rivoltate su se stesse.

Vanessa si solleva accanto a Virginia. "Lasciamola ora, andiamocene tutti," dice Vanessa. "Abbiamo fatto quello che potevamo."

Angelica e Quentin si allontanano obbedienti. Angelica comincia a girare intorno alla casa, guardando con aria indagatrice le grondaie. Quentin si pulisce le mani sulla maglietta, poi va dentro a lavarsele. (Crede che l'uccello abbia lasciato un residuo di morte sulle sue mani? Crede che un buon sapone inglese e gli asciugamani di zia Virginia lo laveranno via?) Julian rimane con Vanessa e Virginia, che ancora attende al piccolo cadavere.

Dice: "Angie si è così eccitata per il nido che ha dimenticato di cantare l'inno."

Vanessa dice: "Ci verrà negato il tè, visto che siamo venuti così presto?"

"No," risponde Virginia. "Sono perfettamente in grado di prepararvi un tè senza l'assistenza di Nelly."

"Bene," dice Vanessa, e lei e Julian si voltano e camminano verso la casa, la mano di Julian nella piega del gomito della madre.

Prima di seguirli, Virginia esita ancora un momento accanto all'uccello morto dentro il cerchio di rose. Potrebbe essere una specie di cappello. Potrebbe essere l'anello mancante tra la modisteria e la morte.

Le piacerebbe giacere al suo posto. Non c'è da negarlo: le piacerebbe. Vanessa e Julian possono continuare con i loro affari, con il tè e i viaggi, mentre lei, Virginia, una Virginia dalle dimensioni di uccello, si lascia trasformare da donna difficile, spigolosa, in decorazione da cappello: una cosa stupida, insignificante.

Clarissa, pensa, non è la sposa della morte. Clarissa è il letto in cui la sposa giace.

La signora Dalloway

Clarissa riempie un vaso con una dozzina di rose gialle. Lo porta nel salotto, lo mette sul tavolino, fa un passo indietro e prova a spostarlo qualche centimetro a sinistra. Farà per Richard la migliore festa che potrà. Proverà a creare qualcosa di temporaneo, anche banale, ma a suo modo perfetto. Gli farà vedere che è circondato di persone che lo rispettano e lo ammirano sinceramente (perché ha chiesto a Walter Hardy di venire? Come ha potuto essere così debole?); si assicurerà che lui non si stanchi troppo. È il suo tributo, il suo regalo. Cosa può offrirgli di più?

Sta ritornando in cucina quando suona il citofono. Chi può essere? Una consegna che ha dimenticato, probabilmente, o il responsabile del rinfresco che lascia qualcosa. Schiaccia il pulsante per ascoltare.

"Chi è?" chiede.

"Louis. Sono Louis."

"Louis? Davvero?"

Clarissa lo fa entrare. Certo che è Louis. Nessun altro: nessuno di New York suonerebbe semplicemente il campanello senza telefonare prima. Nessuno lo fa. Apre la porta e va nell'ingresso con un grande e quasi vertiginoso senso di attesa, una sensazione così forte e così particolare, così sconosciuta in qualsiasi altra circostanza che lei ha deciso qualche tempo fa di chiamarla semplicemente "Louis". È quella la "sensazione Louis", e attraverso di essa scorrono tracce di devozione e colpa, attrazione, un distinto elemento di paura da palcoscenico, e una speranza pura e immacolata, come se ogni volta che Louis appare potesse portare, finalmente, qualche notizia così buona che è impossibile anticipare la sua portata o anche la sua precisa natura.

Poi, un momento dopo, dalla curva del corridoio, arriva Louis in persona. Sono passati, quanti?, più di cinque anni adesso, ma è esattamente lo stesso. Gli stessi capelli elettrici irti e bianchi, la stessa camminata bramosa e stravagante, gli stessi vestiti scelti con trascuratezza ma che comunque gli stanno bene. La vecchia bellezza, l'autorità e il portamento leonino sono scomparsi con una velocità sorprendente più di due decenni fa, e questo Louis – con i capelli bianchi, muscoloso, pieno di emozioni furtive e trattenute – è emerso come un uomo piccolo e insignificante potrebbe saltare dalla torretta di un carrarmato ad annunciare che è stato lui, e non la macchina, a radere a zero il villaggio. Louis, l'antico oggetto del desiderio, è stato sempre, a quanto viene fuori, questo: un insegnante di teatro, una persona inoffensiva.

"E allora," dice lui.

Lui e Clarissa si abbracciano. Quando Clarissa si ritrae, vede che gli occhi grigi e miopi di Louis sono umidi. È stato sempre incline al pianto. Clarissa, quella più sentimentale, la più sdegnosa, non piange mai, sebbene spesso ne abbia voglia.

"Quando sei arrivato in città?" chiede.

"L'altro ieri. Stavo passeggiando e mi sono accorto che mi trovavo nella tua strada."

"Sono davvero felice di vederti."

"Anch'io," dice Louis, e i suoi occhi si riempiono di nuovo di lacrime.

"Il tuo tempismo è incredibile. Facciamo una festa per Richard, stasera."

"Davvero? Qual è l'occasione?"

"Ha vinto il Carrouthers. Non l'hai sentito?"

"Il che?"

"È un premio per poeti. Molto importante. Sono sorpresa che tu non ne abbia sentito parlare."

"Bene. Congratulazioni a Richard."

"Spero che verrai. Sarebbe entusiasta di vederti."

"Davvero?"

"Sì, certo. Perché ce ne stiamo in piedi qui, praticamente nel corridoio? Entra."

Sembra più vecchia, pensa Louis mentre segue Clarissa nell'appartamento (otto passi, si gira, poi altri tre). Sembra più vecchia, pensa Louis con stupore. Sta succedendo, alla fine. Che cosa notevole, questi cortocircuiti genetici, come un corpo possa andare avanti essenzialmente inalterato, decennio dopo decennio, e poi in pochi anni arrendersi all'età. Louis è sorpreso della sua tristezza, della scarsa soddisfazione che gli viene dalla relativamente prematura fine della primavera innaturalmente lunga di Clarissa. Quante volte ha fantasticato su questo? È la sua rivincita, l'unico possibile pareggio dei punti. Tutti questi anni con Richard, tutto quell'amore e quell'impegno, e Richard passa gli ultimi anni della sua vita a scrivere di una donna che abita a West Tenth Street. Richard produce un romanzo che medita esaustivamente su una donna (un capitolo di più di cinquanta pagine su uno smalto per unghie da comprare, per poi decidere di non farlo!) e il vecchio Louis W. è relegato nel coro. Louis W. ha una sola scena, relativamente breve, in cui si lamenta della pochezza dell'amore nel mondo. Ecco dov'è: ecco la ricompensa, dopo più di una dozzina d'anni; dopo aver vissuto con Richard in sei diversi appartamenti, abbracciandolo, scopandolo fino a non sentire più niente; dopo migliaia di pranzi insieme; dopo il viaggio in Italia e quell'ora sotto l'albero. Dopo tutto questo, Louis compare e sarà ricordato come un uomo triste che si lamenta dell'amore.

"Dove alloggi?"

"Con James all'albergaccio."

"È ancora lì?"

"Alcuni dei suoi *generi alimentari* sono ancora lì. Ho visto una scatola di pasta, di farfalle, che mi ricordo di aver preso al negozio per lui cinque anni fa. Ha provato a negare che fosse la stessa scatola, ma ha una tacca in un angolo che ricordo perfettamente."

Louis si tocca il naso con la punta delle dita (a sinistra, a destra). Clarissa si volta a guardarlo. "Guardati," dice Clarissa, e si abbracciano di nuovo. Si tengono stretti per quasi un intero minuto (le labbra di lui toccano la spalla sinistra di lei, e lui si volta a toccare con le labbra anche la spalla destra). È Clarissa che si stacca.

"Vuoi qualcosa da bere?" chiede.

"No. Sì. Un bicchiere d'acqua?"

Clarissa va in cucina. Quanto è ancora impenetrabile, quanto conserva le sue buone maniere tanto da farti infuriare. Clarissa è stata proprio qui, pensa Louis, tutto questo tempo. È stata qui in queste stanze con la sua fidanzata (o la sua compagna, o comunque si chiamino), andando al lavoro e ritornando a casa. Ha trascorso un giorno e poi un altro, andando a teatro, andando a feste.

C'è così poco amore nel mondo, pensa.

Louis fa quattro passi fino al salotto. È di nuovo qui nella grande e bella stanza con il giardino, l'ampio divano e i tappeti di pregio. Per la situazione dell'appartamento incolpa Sally. È l'influenza di Sally, il gusto di Sally. Sally e Clarissa vivono in una perfetta replica di un appartamento alto-borghese del West Village, si può immaginare l'assistente di qualcuno che lo attraversa di buon passo con un blocco a spirale in mano: poltrone francesi di pelle, ci sono; tavolo Stickley, c'è; pareti tappezzate con colori chiari e stampe botaniche, ci sono; librerie con piccoli tesori acquistati all'estero, ci sono. Anche le cose stravaganti – uno specchio da mercato delle pulci con la cornice ricoperta di conchiglie, la vecchia cassapanca sudamericana dipinta con maliziose sirene – sembrano calcolate, come se l'*art director* avesse guardato tutt'intorno e avesse detto: "Non è ancora abbastanza convincente; abbiamo bisogno di più cose che ci dicano chi *sono veramente* queste persone."

Clarissa ritorna con due bicchieri d'acqua (gassata, con ghiaccio e limone) e, vedendola, Louis sente il profumo dell'aria – pino e erba, acqua leggermente salmastra – di Wellfleet, più di trent'anni prima. Il cuore di lui si gonfia. È più vecchia, ma – non serve negarlo – ha ancora quel fascino rigoroso, quella sensualità leggermente mascolina, aristocratica. È ancora magra. Ancora trasuda un'aria da storia d'amore contrastata, e osservandola ora, che ha più di cinquant'anni, in questa stanza ricca e con la luce bassa, Louis pensa alle fotografie di giovani soldati, ragazzi dai lineamenti forti, con un'aria serena nelle loro uniformi; ragazzi che sono morti prima dei vent'anni e che vivono come l'incarnazione delle speranze perse, in album fotografici o in cornici da tavolo, belli e fiduciosi, senza essere turbati dalla loro tragica sorte, mentre i vivi sopravvivono a lavori e impegni, a vacanze deludenti. In questo momento Clarissa ricorda a Louis un soldato. Sembra guardare il mondo che invecchia da un regno passato; sembra triste e innocente e invincibile come i morti nelle fotografie.

Porge a Louis un bicchiere d'acqua. "Stai bene," dice. Il volto di mezz'età di Louis è sempre stato presente nel suo volto più giovane: il naso affilato e gli occhi pallidi, stupefatti; le sopracciglia ispide; il collo con le grandi vene sotto un mento largo e ossuto. Doveva essere un contadino, forte come un'erba infestante, devastato dal clima, e in cinquant'anni l'età ha fatto quello che arature e raccolti avrebbero fatto nella metà del tempo.

"Grazie," dice Louis.

"Ho la sensazione che tu sia stato molto lontano."

"Ci sono stato. È bello essere ritornato."

"Cinque anni," dice Clarissa. "Non riesco a credere che non sei venuto a New York neanche una volta."

Louis beve tre sorsi d'acqua. È ritornato a New York più volte negli ultimi cinque anni, ma non ha chiamato. Anche se non ha mai deciso specificamente di non vedere Clarissa o Richard, in effetti ha evitato di chiamare. Sembrava più semplice così.

"Sto ritornando per restare," dice Louis. "Sono stanco di lavoretti da insegnante. Sono troppo vecchio e troppo cattivo. Sono troppo *povero*. Sto pensando di trovarmi qualche lavoro onesto."

"Davvero?"

"Oh, non lo so. Non preoccuparti, non sto ritornando a scuola per prendere un *master* o niente di simile."

"Credevo che ti saresti innamorato di San Francisco. Credevo che non ti avremmo rivisto più."

"Tutti si aspettano che ci si innamori di San Francisco. È deprimente."

"Louis, Richard è molto diverso da com'era."

"Sta molto male?"

"Voglio solo che tu sia preparato."

"Gli sei stata vicino in tutti questi anni."

"Sì."

Louis decide che è una donna bella e normale. È esattamente questo, né più né meno. Clarissa si siede sul divano e, dopo un'esitazione che dura un momento, Louis fa cinque passi e si siede accanto a lei.

"Naturalmente ho letto il libro."

"Ah, sì? Bene."

"Non è folle?"

"Sì."

"Non si è neanche preoccupato di cambiare il tuo nome."

"Quella non sono io. È la fantasia di Richard su una donna che vagamente mi assomiglia."

"È un *libro* dannatamente folle."

"È quello che pensano tutti, pare."

"Sembra un libro lungo diecimila pagine. Non succede niente. E poi, *bam!*, lei si uccide."

"La madre di lui."

"Lo so. Comunque è troppo all'improvviso."

"Sei in perfetto accordo con quasi tutti i critici. Hanno aspettato tutto questo tempo, e per cosa? Novecento pagine di amoreggiamento, né più né meno, con una morte improvvisa alla fine. La gente ha detto che era scritto bene."

Louis distoglie lo sguardo da lei. "Queste rose sono belle," dice.

Clarissa si china e sposta il vaso leggermente a destra. Buon Dio, pensa Louis, è andata ben oltre il solito comportamento da buona moglie. È diventata sua madre.

Clarissa ride. "Guardami," dice. "Una vecchia signora che si affanna intorno alle sue rose."

Ti sorprende sempre così, sapendo più di quanto tu pensi lei sappia. Louis si chiede se siano calcolate, queste piccole dimostrazioni di conoscenza di sé che danno sapore all'interpretazione da saggia padrona di casa. A volte sembra leggerti i pensieri. Ti disarma dicendo, essenzialmente: "So cosa stai pensando e sono d'accordo; sono ridicola; sono molto meno di quello che avrei potuto essere e mi piacerebbe essere diversa, ma non posso farci niente." Ti trovi, quasi contro la tua volontà, a non essere più irritato e a consolarla, ad aiutarla a rientrare nella sua interpretazione, in modo che lei possa essere di nuovo a suo agio, e tu possa ritornare a irritarti.

"Quindi," dice Louis, "Richard sta piuttosto male."

"Sì. Il suo corpo non ha più un aspetto così terribile, ma la sua mente vacilla: temo che fosse andato un po' troppo oltre perché gli inibitori di proteasi potessero aiutarlo come stanno aiutando gli altri."

"Dev'essere terribile."

"È ancora se stesso. Voglio dire, c'è questa specie di qualità costante, questo suo essere Richard, che non è cambiata neanche un po'."

"Questo è bene. È qualcosa."

"Ti ricordi la grande duna a Wellfleet?" dice lei.

"Certo."

"L'altro giorno pensavo che, quando muoio, voglio che le mie ceneri siano sparse lì."

"È terribilmente morboso," dice Louis.

"Ma sono cose a cui si pensa. Come si potrebbe non farlo?"

Clarissa credeva allora e crede oggi che, in un certo senso, la duna di Wellfleet la accompagnerà per sempre. Qualunque cosa accada, avrà sempre quello. Sarà sempre stata su quella duna in estate. Sarà sempre stata giovane e fisicamente indistruttibile, con un leggero mal di testa da sbornia, con la felpa di cotone di Richard, mentre lui le posava familiarmente una mano sulla nuca e Louis se ne stava appena in disparte, a guardare le onde.

"Ero furibondo con te, allora," dice Louis. "A volte riuscivo a stento a guardarti."

"Lo so."

"Cercavo di essere bravo. Cercavo di essere aperto e libero."

"Cercavamo tutti. Non sono sicura che il nostro organismo ne sia pienamente capace."

Louis dice: "Una volta ho guidato fin lì. Fino alla casa. Non credo di avertelo detto."

"No. Non me l'hai detto."

"È stato poco prima che partissi per la California. Ero a un convegno a Boston, una cosa terribile sul futuro del teatro, solo un mucchio di vecchi e pomposi dinosauri che avevano trascinato lì per dare agli studenti qualcosa di cui prendersi gioco, e dopo ero così triste che ho noleggiato un'auto e sono andato fino a Wellfleet. Non ho quasi avuto problemi a trovarla."

"Forse non lo voglio sapere."

"No, è ancora lì, ed è rimasta quasi uguale. È stata un po' vestita a festa. Una nuova tinteggiatura, sai, e qualcuno ha seminato un prato, che sembra assurdo in mezzo ai boschi, come una moquette."

"Pensa un po'," dice Clarissa.

Restano seduti in silenzio per un momento. In un certo senso, è anche peggio che la casa sia ancora in piedi. È peggio che il sole e poi il buio e poi ancora il sole siano entrati e siano usciti da quelle stanze ogni giorno, che la pioggia abbia continuato a cadere su quel tetto, e che tutto possa essere ancora visitato.

Clarissa dice: "Dovrei andarci, qualche volta. Mi piacerebbe salire sulla duna."

"Se pensi che sia il posto dove vorresti che le tue ceneri fossero sparse, sì, dovresti ritornarci e confermare."

"No, avevi ragione. Stavo facendo la morbosa. È l'estate che mi spinge a essere così. Non ho proprio idea di dove vorrei che le mie ceneri fossero sparse."

Clarissa vuole, improvvisamente, mostrare la sua intera vita a Louis. Vuole stenderla sul pavimento davanti ai suoi piedi: tutti i momenti vividi ma insignificanti, che non possono essere raccontati come storie. Vuole sedere con Louis e passarla al vaglio.

"Allora," dice, "raccontami qualcosa in più di San Francisco."

"È una piccola città molto carina con buoni ristoranti, dove non succede niente. I miei studenti sono, per la maggior parte, imbecilli. Davvero, torno a New York appena posso."

"Bene. Sarebbe bello riaverti qui."

Clarissa tocca la spalla di Louis, e sembra possibile che si alzeranno entrambi, senza parlare, andranno su in camera da letto e si spoglieranno insieme. Andranno in camera da letto e si spoglieranno non come amanti, ma come gladiatori sopravvissuti all'arena, che si ritrovano insanguinati e feriti ma miracolosamente vivi mentre tutti gli altri sono morti. Trasaliranno mentre si slacciano l'armatura del busto e i parastinchi. Si guarderanno reciprocamente con tenerezza e rispetto; si abbracceranno con delicatezza mentre New York parlotta fuori dalle finestre a battenti, mentre Richard siede nella sua poltrona ad ascoltare le voci e Sally pranza con Oliver St.Ives.

Louis ripone il bicchiere, lo solleva, lo rimette giù. Batte il piede sul tappeto, tre volte.

"È un po' complicato però," dice. "Sai, mi sono innamorato."

"Davvero?"

"Si chiama Hunter. Hunter Craydon."

"Hunter Craydon. Bene."

"Era un mio studente dell'anno scorso," dice Louis.

Clarissa si lascia andare all'indietro, sospira con impazienza. Questo sarà il quarto, almeno di quelli che conosce lei. Le piacerebbe afferrare Louis e dirgli: "Devi invecchiare meglio di così. Non posso sopportare di vedere che ti tieni in così grande conto e poi offri tutto quello che hai a qualche ragazzo solo perché è carino e giovane."

"Forse è lo studente più dotato a cui abbia mai insegnato," dice Louis. "Propone le interpretazioni più notevoli che abbia mai udito sui problemi che si hanno a crescere bianco e gay in Sudafrica. Incredibilmente forte."

"Bene," dice Clarissa. Non riesce a pensare a nient'altro da dire. Le dispiace per Louis e si sente profondamente impaziente, eppure, pensa, Louis è innamorato. È innamorato di un ragazzo. Ha cinquantatré anni, e ha ancora questo che lo aspetta: il sesso e le discussioni ridicole, l'angoscia.

"È sorprendente," dice Louis. Con sua stessa meraviglia, attacca a piangere. Le lacrime iniziano in modo abbastanza semplice, come un calore al fondo degli occhi e uno sfocamento della visione. Questi accessi di emozione lo prendono di continuo: possono essere provocati da una canzone o dalla visione di un vecchio cane. Passano. Generalmente passano. Questa volta, però, le lacrime cominciano a scendergli dagli occhi prima che lui si renda conto che sta succedendo, e per un momento un compartimento del suo essere (lo stesso compartimento che conta passi, sorsi, battute di mano) dice a se stesso: "Sta piangendo, che strano." Louis si protende in avanti, si copre il volto con le mani. Singhiozza.

La verità è che non ama Hunter, e Hunter non ama lui. Stanno avendo una storia: solo una storia. Riesce a non pensare a lui per ore a volte. Hunter ha altri ragazzi, un intero futuro programmato; Louis deve ammettere che, quando si sarà trasferito, non gli mancheranno né la risata stridula di Hunter né il suo incisivo scheggiato né i suoi silenzi petulanti.

C'è così poco amore nel mondo.

Clarissa sfrega la schiena di Louis con il palmo della mano. Cosa aveva detto Sally? "Non litighiamo mai." È stato a cena da qualche parte, un anno fa o più. Avevano preso del pesce, degli spessi medaglioni in pozze di salsa gialla brillante (sembrava che tutto allora venisse messo in una pozza di salsa dai colori brillanti). "Non litighiamo mai." È vero. Bisticciano, tengono il muso, ma non esplodono, non urlano o piangono, non rompono piatti. Ha sempre avuto l'impressione che non avessero litigato *ancora*, che fossero ancora troppo nuove per una guerra dichiarata, che interi continenti inesplorati si sarebbero stesi di fronte a loro, una volta che avessero trovato la loro strada attraverso le negoziazioni iniziali e si fossero sentite sufficientemente sicure una in compagnia dell'altra per lasciarsi veramente andare. Come può averlo pensato? Presto lei e Sally festeggeranno il loro diciottesimo anno insieme. Sono una coppia che non litiga mai.

Mentre sfrega la schiena di Louis, Clarissa pensa: portami con te. Voglio un amore destinato a fallire. Voglio strade di notte, vento e pioggia, e nessuno che si chieda dove sono.

"Mi dispiace," dice Louis.

"Va tutto bene. Per amor di Dio, guarda quello che è successo."

"Mi sento un tale coglione." Si alza e cammina fino alla portafinestra (sette passi): attraverso le lacrime, riesce a vedere il muschio nei vasi bassi, il disco bronzeo di acqua chiara in cui galleggia una singola piuma bianca. Non sa dire perché stia piangendo. È di nuovo a New York. Sembra che pianga per questo strano giardino, per la malattia di Richard (perché Louis si è salvato?), per questa stanza con dentro Clarissa, per tutto. Sembra che pianga per un Hunter che assomiglia solo a quello vero. Quest'altro Hunter ha una grandezza fiera e tragica, una vera intelligenza, una tranquilla disposizione d'animo. Louis piange per lui.

Clarissa lo segue. "Va tutto bene," dice di nuovo.

"Stupido," mormora Louis. "Stupido."

Una chiave gira nella porta d'ingresso. "È Julia," dice Clarissa. "Merda."

"Non preoccuparti. Ha già visto uomini piangere."

È la sua stramaledetta figlia. Louis raddrizza le spalle, muove qualche passo staccandosi dal braccio di Clarissa. Continua a guardare fuori in giardino, cercando di controllare il suo volto. Pensa al muschio. Pensa alle fontane. Improvvisamente, sinceramente, è interessato a muschio e fontane.

"Che strano!" dice la voce. "Perché sta pensando a queste cose?"

"Salve," dice Julia, alle sue spalle. Non dice: "Ciao." È sempre stata una ragazzina seriosa. Brillante, ma singolare, troppo grande, piena di stranezze e tic.

"Ciao, tesoro," dice Clarissa. "Ti ricordi di Louis?"

Louis si gira verso di lei. Bene, lasciamo che veda che ha pianto. Vaffanculo.

"Certo che sì," dice Julia. Cammina verso di lui, tendendogli la mano.

Ha diciott'anni, adesso, forse diciannove. È così inaspettatamente bella, così cambiata, che Louis ha paura che le lacrime ricominceranno. Quando l'ha vista l'ultima volta aveva circa tredici anni, era sgraziata e sovrappeso, imbarazzata da se stessa. Ancora non è veramente bella, non lo sarà mai, ma ha acquistato qualcosa dalla presenza della madre, quella sicurezza dorata. È bella e sicura come una giovane atleta, la testa rasata, la pelle rosa.

"Julia," dice lui. "Che bello vederti."

Lei prende la mano di lui fra le sue. Porta un piccolo anello d'argento al naso. È rigogliosa e forte, scoppia di salute, come un'idealizzata ragazza inglese di fronte ai campi. Deve aver preso dal padre (Louis ha fantasticato su di lui, lo ha immaginato forte, giovane, biondo, squattrinato: un attore o un pittore, forse, un amatore, un criminale, un ragazzo disperato, tanto da dover vendere i suoi liquidi, sangue alla banca del sangue, seme alla banca del seme). Louis crede che dev'essere stato enorme, rozzo, una figura da mito celtico, perché qui adesso c'è Julia, che anche in canottiera e pantaloncini, con gli anfibi neri ai piedi, sembra in grado di portare un covone d'orzo sotto un braccio e un agnello appena nato sotto l'altro.

"Salve, Louis," dice. Gli prende la mano, ma non la muove. Ovviamente sa che lui ha pianto. Non sembra particolarmente sorpresa. Cosa deve aver sentito su di lui?

"Devo andare," dice Louis.

Clarissa annuisce. "Quanto ti trattieni?"

"Solo pochi giorni. Ma ritornerò a vivere qui. È stato bello vederti. Ci vediamo, Clarissa."

"Alle cinque."

"Cosa?"

"La festa. È alle cinque. Vieni, per favore."

"Certo che verrò."

Julia dice: "Arrivederci, Louis."

È una bella ragazza di diciannove anni che dice: "Salve" e "Arrivederci", non "Ciao" o "Ci vediamo". Ha denti insolitamente piccoli, molto bianchi.

"Arrivederci."

"Verrai, vero?" dice Clarissa. "Promettimi che verrai."

"Prometto. Arrivederci." Esce dall'appartamento, ancora sul punto di piangere, furioso con Clarissa, vagamente e assurdamente innamorato di Julia (lui, che non è mai stato attratto dalle donne, mai – dopo tutti questi anni, rabbrividisce ancora al ricordo di quel terribile, disperato tentativo fatto con Clarissa, semplicemente per mantenere il possesso su Richard). Si immagina di scappare con Julia da quell'orribile appartamento privo di gusto, di portare se stesso e lei via da quell'appartamento con le pareti tappezzate di colori chiari e le stampe botaniche, lontano da Clarissa e dai suoi bicchieri di acqua gassata con le fette di limone. Percorre il corridoio poco illuminato (ventitré passi), supera la porta d'ingresso e poi, attraverso la porta principale, esce su West Tenth Street. Il sole esplode come un flash fotografico nei suoi occhi. Si unisce, grato, alla gente del mondo: un uomo che sembra un furetto, che porta a spasso due bassotti tedeschi, un individuo grasso che suda maestosamente nel suo vestito blu scuro, una donna calva (moda o chemioterapia?) che aspira avidamente una sigaretta appoggiandosi alla palazzina di Clarissa e il cui volto sembra un livido fresco. Louis ritornerà qui, in questa città, vivrà in un appartamento del West Village, siederà da Dante con un espresso e una sigaretta di pomeriggio. Non è vecchio, non ancora. La notte prima ha fermato l'automobile nel deserto dell'Arizona ed è rimasto immobile sotto le stelle finché non ha sentito la presenza della sua anima, o comunque si voglia chiamarla, quella parte che era stata un bambino e che ora – sembrava solo un momento dopo – era in piedi nel silenzio del deserto, sotto le costellazioni. Pensa con affetto distratto a se stesso, al giovane Louis Waters, che ha trascorso la giovinezza vivendo con Richard, che era variamente lusingato e irritato dall'infaticabile adorazione che Richard dimostrava per le sue braccia e il suo culo, e che alla fine lasciò Richard per sempre dopo un litigio alla stazione di Roma (era stato specificamente per la lettera che Richard aveva ricevuto da Clarissa, o era stato per la sensazione più generale di Louis di un interesse esaurito nell'essere l'elemento più adorato, ma anche il meno brillante?). Quel Louis, solo ventottenne ma convinto della sua età avanzata e delle sue opportunità perdute, aveva camminato lasciandosi Richard alle spalle ed era salito su un treno che poi scoprì essere diretto a Madrid. Era sembrato all'epoca un gesto drammatico ma temporaneo, e mentre il treno avanzava (il conducente

115

lo aveva informato, sdegnoso, di dove stava andando) si era sentito stranamente, quasi soprannaturalmente contento. Si era liberato. Adesso rammenta a malapena i suoi giorni senza meta a Madrid: non ricorda neanche con tanta chiarezza il ragazzo italiano (il suo nome poteva davvero essere Franco?) che lo convinse alla fine ad abbandonare il progetto lungo e destinato a fallire di amare Richard in favore di passioni più semplici. Ciò che ricorda con assoluta chiarezza è di essere seduto su un treno diretto a Madrid, a provare il tipo di felicità che immaginava potessero sentire gli spiriti, liberati dai loro corpi terreni ma ancora in possesso della parte essenziale di sé. Cammina verso est in direzione dell'università (settantasette passi fino all'angolo). Aspetta per attraversare.

La signora Brown

Mentre guida la sua Chevrolet lungo la Pasadena Freeway, fra colline in alcuni punti ancora bruciate per l'incendio dell'anno prima, ha la sensazione di stare sognando o, più precisamente, di ricordare questo viaggio in auto da un sogno fatto molto tempo prima. Tutto quello che vede le dà l'impressione di essere inchiodato al giorno come le farfalle eterizzate sono incollate a un pannello. Ecco i pendii neri delle colline punteggiati dalle case con gli stucchi color pastello che sono state risparmiate dalle fiamme. Ecco il cielo fosco, blu e bianco. Laura guida con competenza, né troppo piano né troppo veloce, controllando ogni tanto lo specchietto retrovisore. È una donna in un'automobile che sogna di essere in un'automobile.

Ha lasciato il figlio dalla signora Latch, che abita in fondo alla strada. Ha inventato una commissione dell'ultimo minuto legata al compleanno del marito.

Ha avuto una crisi di panico – crede che "panico" sia la parola giusta. Ha provato a mettersi stesa per qualche minuto mentre il figlio dormiva; ha provato a leggere un po', ma non riusciva a concentrarsi. È rimasta distesa sul letto con il libro tra le mani, sentendosi svuotata, esausta, per il bambino, per la torta, per il bacio. Tutto si riconduceva, in un certo senso, a questi tre elementi, e mentre stava stesa sul letto matrimoniale con gli scuri abbassati e la lampada da notte accesa, a cercare di leggere, si è chiesta: è questo che vuol dire impazzire? Non se l'era mai immaginato così – quando aveva pensato a qualcuno (a una donna come lei) che perdeva la testa, si era immaginata urla e lamenti, allucinazioni; ma in quel momento le era parso chiaro che c'era un altro modo, molto più tranquillo: un modo, più che confuso e disperato, piatto, tanto che un'emozione forte come il dolore sarebbe stata un sollievo.

E quindi è uscita per qualche ora. Non ha agito irresponsabilmente. Si è assicurata che il figlio fosse in buone mani. Ha fatto una nuova torta, ha scongelato le bistecche, ha mondato i fagioli. Dopo aver fatto tutto questo, si è concessa di uscire. Ritornerà a casa in tempo per preparare la cena, per dar da mangiare al cane di Kitty. Ma in questo momento, proprio in questo momento, sta andando in qualche posto (dove?) per stare sola, per essere libera dal bambino, dalla casa, dalla piccola festa che darà stasera. Ha preso il taccuino e la copia della *Signora Dalloway*. Si è infilata le calze e una gonna e una camicia; ha messo gli orecchini preferiti, semplici dischi di rame. Si sente leggermente, stupidamente soddisfatta dei suoi vestiti e della pulizia della sua automobile; un piccolo cestino blu scuro, che non contiene alcun rifiuto, è attaccato all'asse dello sterzo come una sella a un cavallo. È ridicolo, lo sa, eppure trova conforto in questo ordine impeccabile. È pulita e ben vestita e guida lontano.

A casa, la nuova torta aspetta sotto un coperchio d'alluminio con un pomo di legno a forma di ghianda. È un passo avanti rispetto alla prima torta. Questa torta è stata glassata due volte, in modo che non ci siano briciole nella glassa (ha consultato un secondo libro di cucina e ha appreso che i cuochi chiamano il primo strato di glassa "lo strato con le briciole" e che una torta dovrebbe sempre essere glassata una seconda volta). Questa torta dice "Buon compleanno Dan" in un'elegante scritta bianca, libera dall'ammasso di rose gialle. È una bella torta, perfetta a modo suo, eppure Laura è ancora delusa. È ancora amatoriale, fatta in casa; ancora sembra in un certo senso sbagliata. La "o" in "Buon" non è venuta come sperava, e due delle rose appaiono sbilenche.

Si tocca le labbra, dove per un momento si è fermato il bacio di Kitty. Non le importa molto del bacio, quello che comporta e quello che non comporta, a parte il fatto che dà a Kitty un vantaggio. L'amore è profondo, un mistero – chi vuole comprenderlo in ogni particolare? Laura desidera Kitty. Desidera la sua forza, la sua delusione frenetica e piacevole, le luci cangianti rosa-oro della sua parte segreta e le frizzanti profondità allo shampoo dei suoi capelli. Laura desidera anche Dan, in un modo più oscuro e meno delicato, in un modo che è più sottilmente viziato da crudeltà e vergogna. È comunque un desiderio pungente, come una scheggia di osso. Può baciare Kitty in cucina e amare anche suo marito. Può pregustare il nauseante piacere delle labbra e delle dita di suo marito (forse desidera solo il desiderio di lui?) e tuttavia sognare di baciare ancora Kitty un giorno, in cucina o in spiaggia, mentre i bambini strillano tra le onde, in un corridoio con le braccia piene di asciugamani ripiegati, ridendo piano, innamorate disperatamente della loro stessa sconsideratezza se non l'una dell'altra, dicendo "*Shhhh*", separandosi in fretta, andando avanti.

Ciò che Laura rimpiange, ciò che riesce a malapena a sopportare, è la torta. La mette in imbarazzo, ma non può negarlo. È solo zucchero, farina e uova – parte del fascino di una torta è nelle sue inevitabili imperfezioni. Lo sa, certo che lo sa. Tuttavia aveva sperato di creare qualcosa di più bello, di più significativo di ciò che ha prodotto, nonostante la superficie liscia e la scritta centrata. Vorrebbe (lo ammette a se stessa) il sogno di una torta che si manifesti come una vera torta: una torta investita di un innegabile e profondo senso di pace, di munificenza. Vorrebbe aver fatto una torta che elimini il dolore, anche se solo per poco tempo. Vorrebbe aver fatto qualcosa di meraviglioso, qualcosa che appaia meraviglioso anche a chi non la ama.

Ha fallito. Vorrebbe che non le importasse. Crede che ci sia qualcosa di sbagliato in lei.

Si sposta sulla corsia di sinistra, schiaccia l'acceleratore. Adesso, in questo momento, potrebbe essere chiunque, andare ovunque. Ha il serbatoio pieno, soldi nel portafogli. Per un'ora o due, può andare dovunque voglia. Dopo scatteranno gli allarmi. Per le cinque, più o meno, la signora Latch comincerà a preoccuparsi e, al più tardi entro le sei, comincerà a fare telefonate. Se si fa così tardi, Laura sarà costretta a dare delle spiegazioni, ma per il momento, e per almeno due ore, è davvero libera. È una donna in un'automobile, solo questo.

Quando arriva in cima alla salita di Chavez Ravine, e compaiono le fosche guglie di *downtown*, deve prendere una decisione. Per la mezz'ora passata è stato sufficiente essere diretta, vagamente, verso *downtown* Los Angeles, ma ora eccola – i vecchi edifici tozzi, squadrati; gli scheletri dei nuovi, più alti, che avanzano – tutta soffusa del biancore uniforme del giorno, che sembra non scendere dal cielo sulla terra, ma provenire dall'aria stessa, come se invisibili particelle nell'etere emettessero una fosforescenza uniforme, leggermente nebbiosa. Ecco la città, e Laura deve entrarci, attraverso la corsia di sinistra, o passare alla corsia di destra ed evitarla completamente. Se lo fa, se continua semplicemente a guidare, si dirigerà verso l'ampia e piatta fila di fabbriche e bassi condomini che circondano Los Angeles per oltre centocinquanta chilometri in ogni direzione. Potrebbe girare a destra e arrivare infine a Beverly Hills o alla spiaggia di Santa Monica, ma non vuole fare acquisti e non ha portato niente per andare al mare. È strano, ma ci sono pochi posti dove andare in questo paesaggio immenso e fumosamente brillante, e ciò che lei vuole – un posto privato, silenzioso, dove poter leggere, dove poter pensare – non è facilmente disponibile. Se va in un negozio o in un ristorante dovrà recitare – dovrà fingere di aver bisogno o voglia di qualcosa che non la interessa minimamente. Dovrà muoversi secondo le regole; dovrà esaminare la merce e rifiutare offerte di aiuto; o dovrà sedersi a un tavolo, ordinare qualcosa, consumare e andare via. Se parcheggia semplicemente l'auto e resta seduta lì, una donna sola, sarà esposta ai criminali e a quelli che cercheranno di proteggerla dai criminali. Sarebbe troppo esposta, troppo originale.

Anche una biblioteca sarebbe troppo pubblica, così come un parco.

Si sposta con l'auto nella corsia di sinistra, e guida verso la città. Sembra arrivare alla sua decisione quasi in maniera fisica, come se andando a sinistra fosse entrata in una sequenza di azioni che la stava chiaramente aspettando, così come la sta aspettando Figueroa Street con le sue vetrine e i marciapiedi ombrosi. Prenderà una stanza in un albergo. Dirà (ovviamente) che vuole trattenersi per la notte, che suo marito la raggiungerà. Purché paghi per la stanza, che male c'è a usarla solo per un paio d'ore?

Sembra un gesto così stravagante e insensato che le dà le vertigini e la rende nervosa come una ragazzina. Sì, è uno spreco – una stanza d'albergo per un'intera notte, mentre tutto quello che vuole fare è sedersi lì a leggere per un paio d'ore –, ma in questo momento non sono particolarmente a corto di denaro, e lei sta occupandosi della casa con relativa parsimonia. Quanto può costare una stanza? Non può essere molto.

Dovrebbe andare in un posto economico – un motel, un albergo in periferia –, ma non riesce a convincersi. Sembrerebbe troppo illecito, sembrerebbe troppo sordido. Il portiere potrebbe perfino prenderla per una professionista, potrebbe farle domande. Motel di quel tipo sono al di fuori della sua esperienza, probabilmente comportano un codice di comportamento al quale è completamente estranea, e quindi arriva al Normandy, un edificio bianco che spunta solo a qualche incrocio di distanza. Il Normandy è grande, pulito, convenzionale. È a forma di "v", con due ali gemelle di dieci piani che racchiudono un giardino urbano con una fontana. Ha un'aria di rispettabilità disinfettata; è adatto a turisti e uomini d'affari, persone la cui presenza non comporta neanche il più vago indizio di mistero. Laura guida l'automobile sotto una pensilina cromata, sulla quale spicca in lettere cromate alte e spigolose il nome dell'albergo. Anche se è pieno giorno, sotto la pensilina l'aria ha una caratteristica leggermente notturna, una luminosità lunare, una chiarezza ricavata dal bianco sul bianco. Le piante di agave nei vasi ai lati delle porte di vetro nero sembrano stupefatte di trovarsi lì.

Laura lascia la macchina al fattorino, prende il biglietto per il ritiro ed entra attraverso le pesanti porte di vetro. L'ingresso è soffocato, gelido. Un campanello lontano suona, distinto e misurato. Laura è allo stesso tempo sollevata e innervosita. Cammina sul tappeto blu scuro fino al banco. Questo hotel, questo ingresso, è precisamente ciò che vuole – la freddezza del nulla, l'immacolata assenza di odore, il viavai attivo e privo di emozioni. Si sente, immediatamente, un abitante di questo posto. È

121

così ben fatto, così privo di preoccupazioni. Tuttavia, allo stesso tempo, lei è qui per falsi o, peggio, inspiegabili motivi – è venuta, in un modo oscuro, per sfuggire a una torta. Ha intenzione di dire all'impiegato al banco che suo marito è stato trattenuto e che arriverà con il loro bagaglio più o meno in un'ora. Non ha mai mentito in questo modo prima, non a qualcuno che non conosce o ama.

Lo scambio al banco della reception si rivela sorprendentemente facile. L'impiegato, un uomo della sua età, con una voce dolce e sottile e una pelle rovinata, non solo chiaramente non sospetta nulla, ma non prende neanche in considerazione la possibilità di un sospetto. Quando Laura chiede: "Avete una stanza disponibile?", lui semplicemente, senza esitare, risponde: "Sì. Vuole una singola o una doppia?"

"Una doppia," dice lei. "Per me e mio marito. Lui sta arrivando con i bagagli."

L'impiegato lancia uno sguardo alle spalle di lei, cercando un uomo che armeggia con delle valigie. Il volto di Laura si infiamma, ma lei non vacilla.

"In realtà, arriverà solo fra un'ora o due. È stato trattenuto e ha mandato me avanti. Per vedere se c'era posto."

Tocca il ripiano di granito nero per darsi forza. La sua storia non le sembra per niente plausibile. Se lei e il marito sono in viaggio, perché hanno due macchine? Perché non hanno telefonato prima di arrivare?

L'impiegato, comunque, non si tira indietro. "Temo di avere solo stanze ai piani più bassi. Va bene?"

"Sì, va bene. È solo per una notte."

"Bene, allora. Vediamo. Stanza 19."

Laura firma il registro con il suo vero nome (uno inventato sembrerebbe troppo strano, troppo sordido), paga subito ("Potremmo partire molto presto domani mattina; avremo molta fretta: vorrei occuparmi subito di questa cosa"). Riceve la chiave.

Mentre lascia il banco, riesce a stento a credere di averlo fatto. Ha preso la chiave, è passata attraverso i portali. Le porte degli ascensori, al lato opposto della hall, sono di bronzo martellato, ciascuna sormontata da una striscia orizzontale di numeri rosso brillante, e per raggiungerle supera diverse configurazioni di divani e poltrone vuoti, il fresco riposo offerto dalle palme nane in vaso e, dietro un vetro, la grotta artificiale dotata di un emporio e di un caffè, dove alcuni uomini solitari in abito scuro siedono al banco con dei quotidiani, dove una donna più anziana con un'uniforme da cameriera rosa pallido e una parrucca rossa sembra stia dicendo qualcosa di spiritoso a nessuno in particolare, e dove una torta di meringa al limone, tanto grande da sembrare uscita da un cartone animato, con due fette mancanti, troneggia su un piedistallo sotto una cupola di plastica trasparente.

Laura chiama l'ascensore, schiaccia il pulsante del suo piano. Sotto una lastra di vetro sulla parete dell'ascensore c'è la fotografia delle uova Benedict, che possono essere ordinate al ristorante dell'albergo fino alle due del pomeriggio. Guarda la fotografia, pensa a come sia appena troppo tardi per ordinare uova Benedict. È stata nervosa per molto tempo, e il suo nervosismo non si è dissolto, tuttavia la sua natura sembra essere improvvisamente cambiata. Il nervosismo che si accompagna alla rabbia e all'insoddisfazione personale le è perfettamente familiare, ma adesso non è quello. La decisione di prendere una stanza in questo hotel, di salire in quest'ascensore, sembra averla soccorsa come la morfina soccorre un ammalato di cancro: non eliminando il dolore, ma semplicemente facendo in modo che il dolore non conti più. È quasi come se fosse accompagnata da una sorella invisibile, da una donna perversa piena di rabbia e recriminazioni, una donna umiliata da se stessa, ed è questa donna, questa sorella sfortunata, non Laura, che ha bisogno di comodità e silenzio. Laura potrebbe essere un'infermiera, che bada al dolore di un'altra.

Esce dall'ascensore, cammina con calma lungo il corridoio, infila la chiave nella serratura della stanza 19.

Ecco la sua stanza: una stanza turchese, per niente sorprendente o insolita, con un copriletto turchese e un dipinto (Parigi, in primavera) in una cornice di legno chiaro. Nella stanza c'è un odore di alcol e pino rosso, candeggina e sapone profumato, che aleggia sopra qualcosa che non è marcio, neanche stantio, comunque non fresco. Pensa che sia un odore stanco. È l'odore di un posto che è stato usato e riusato.

Va alla finestra, apre le tende bianche quasi trasparenti, solleva gli scuri. Lì, in basso, c'è la piazza a forma di "v", con la fontana e i cespugli di rose che lottano per resistere, le sue panchine di pietra vuote. Di nuovo Laura sente di essere entrata in un sogno, un sogno in cui lei guarda dall'alto questo giardino particolare, così disabitato, appena dopo le due del pomeriggio. Si allontana dalla finestra. Si toglie le scarpe. Mette la copia della *Signora Dalloway* sul comodino con il piano di vetro, e si stende sul letto. La stanza è invasa dal tipico silenzio che si diffonde negli alberghi, un silenzio sorvegliato, completamente innaturale, spalmato su uno strato di cigolii e gorgoglii, di ruote che scorrono su tappeti.

È così lontana dalla sua vita. È stato così facile.

Le sembra quasi di aver lasciato il suo mondo e di essere entrata nel regno del libro. Naturalmente niente potrebbe essere più lontano dalla Londra della signora Dalloway di questa stanza d'albergo turchese, eppure lei immagina che Virginia Woolf stessa, la donna annegata, il genio, potrebbe abitare dopo la morte in un posto non dissimile da questo. Ride, sommessamente, tra sé. Per favore Dio, dice in silenzio, fa' che il paradiso sia un po' meglio di una stanza al Normandy. Il paradiso dovrebbe avere mobili migliori, essere più luminoso e grandioso, ma potrebbe in effetti contenere un po' di questa distanza soffocata, di questa totale assenza da un mondo che intanto continua a vivere. Avere questa stanza per sé le sembra allo stesso tempo una cosa da persona distinta e da puttana. È al sicuro, qui. Potrebbe fare qualsiasi cosa volesse, proprio qualsiasi cosa. In un certo senso, è come una sposa novella, che si ritira nella sua stanza e aspetta... non suo marito o qualche altro uomo. Qualcuno. Qualcosa.

Prende il libro. Ha segnato la pagina con il segnalibro d'argento ("Al mio Topo da Biblioteca. Con amore") che le ha regalato suo marito diversi compleanni fa.

Con un senso di rilassamento profondo e gioioso, comincia a leggere.

Ricordava di aver lanciato una volta una moneta nella Serpentina. Ma tutti avevano ricordi; quello che amava era questo, qui, adesso, di fronte a lei; la signora grassa nel tassì. Era importante allora, si chiedeva, mentre camminava verso Bond Street, era importante che lei dovesse inevitabilmente cessare di vivere? Tutto questo può andare avanti senza di lei; era una cosa che le dispiaceva? O non era forse consolante credere che la morte facesse finire tutto? Ma che in qualche modo, per le strade di Londra, nel flusso e riflusso delle cose, qui, lì, lei sarebbe sopravvissuta, Peter sarebbe sopravvissuto, sarebbero sopravvissuti l'uno nell'altro, e lei sarebbe stata parte, ne era sicura, degli alberi a casa, dello stesso edificio, là, brutto, cadente, così com'è; parte delle persone che non aveva mai conosciuto, stesa come un velo di foschia tra le persone che conosceva meglio, che la sollevavano sulle braccia così come lei aveva visto gli alberi sollevare la foschia, eppure si stendeva così lontano, quella vita, lei stessa. Ma quali sogni stava sognando mentre guardava nella vetrina di Hatchard's? Cosa stava cercando di riportare alla mente? Quale immagine di un'alba bianca in campagna, mentre leggeva nel libro aperto:

"Non temere più l'ardor del sole
Né del violento inverno le tempeste."

È possibile morire. Laura pensa improvvisamente a come lei – al pari di chiunque – possa fare una scelta del genere. È un pensiero sconsiderato, vertiginoso, leggermente incorporeo – si annuncia dentro la sua testa, debolmente ma distintamente, come una voce che gracchia da una stazione radio lontana. Potrebbe decidere di morire. È una nozione astratta, scintillante, non particolarmente morbosa. Le stanze d'albergo sono i posti dove la gente fa cose del genere, no? È possibile – forse addirittura probabile – che qualcuno, un uomo o una donna, abbia posto fine alla sua vita qui, in questa stanza, su questo letto. Qualcuno ha detto: "Basta così"; qualcuno ha guardato per l'ultima volta queste pareti bianche, questo soffitto bianco e liscio. Andando in un albergo si lasciano i dettagli della propria vita e si entra in una zona neutrale, una stanza bianca e pulita, dove morire non sembra così strano.

Pensa che potrebbe essere profondamente confortante; la farebbe sentire così libera: andarsene, semplicemente. Dire a tutti: "Non ce la facevo, non sapete com'è; non volevo provarci più." Crede che in questo potrebbe esserci una bellezza terribile, come una distesa di ghiaccio o un deserto alle prime luci della mattina. Potrebbe entrare, per così dire, nell'altro paesaggio; potrebbe lasciarli tutti alle spalle – suo figlio, suo marito, Kitty, i suoi genitori, tutti – in questo mondo sfasciato (non sarebbe mai più intero, non sarebbe mai più pulito) a dirsi l'un l'altro, a dire a tutti quelli che potrebbero chiedere: "Pensavamo che stesse bene, che i suoi dolori fossero comuni. Non avevamo idea."

Si massaggia la pancia. Non lo farei mai. Pronuncia le parole ad alta voce nella stanza pulita e silenziosa: "Non lo farei mai." Lei ama la vita, la ama disperatamente, almeno in certi momenti, e non ucciderebbe suo figlio. Ucciderebbe suo figlio e suo marito e l'altro bambino che sta prendendo forma dentro di lei. Come potrebbe uno di loro riprendersi da una cosa così? Niente di ciò che potrebbe fare da viva, come madre, come moglie, nessun errore, nessuno scatto di rabbia o crisi depressiva, potrebbe essere paragonabile. Sarebbe, semplicemente, male. Formerebbe un buco nell'atmosfera, attraverso il quale tutto quello che ha creato – i giorni ordinari, le finestre illuminate, la tavola apparecchiata per la cena – verrebbe risucchiato via.

Tuttavia è contenta di sapere (perché in un certo senso, improvvisamente, lo sa) che si può cessare di vivere. C'è una consolazione nell'avere di fronte la gamma completa di possibilità, nel poter prendere in considerazione tutte le scelte senza paura e senza inganno. Si immagina Virginia Woolf, virginea, priva di equilibrio, sconfitta dalle impossibili richieste della vita e dell'arte; la immagina entrare in un fiume con una pietra in tasca. Laura continua a massaggiarsi il ventre. Sarebbe semplice come prendere una stanza in un albergo. Sarebbe semplice così.

La signora Woolf

È seduta in cucina con Vanessa, a bere il tè.

"Da Harrods c'era un delizioso cappotto per Angelica," dice Vanessa. "Ma non c'era niente per i ragazzi, e non mi sembrava giusto. Credo che le prenderò il cappotto per il compleanno, ma allora naturalmente si mostrerà arrabbiata e insoddisfatta perché crede che i cappotti debba averli comunque, come un fatto garantito, non come fossero regali."

Virginia annuisce. Al momento non le sembra di essere in grado di parlare. C'è così tanto nel mondo. Ci sono cappotti da Harrods; ci sono bambini che si arrabbieranno e si dispiaceranno indipendentemente da quello che uno fa. C'è la mano paffuta di Vanessa sulla sua tazza e c'è il tordo fuori, così bello sulla sua pira, così simile a un articolo da modista. C'è quest'ora, adesso, in cucina.

Clarissa non morirà, non per sua volontà. Come potrebbe sopportare di lasciare tutto questo?

Virginia si prepara a offrire qualche esempio di saggezza sui bambini. Ha scarse idee su ciò che dirà, ma dirà qualcosa.

Le piacerebbe dire: "È abbastanza." Le tazze da tè e il tordo fuori, il problema dei cappotti dei bambini. È abbastanza.

Qualcun altro morirà. Dovrebbe essere una mente più grande di Clarissa; dovrebbe essere qualcuno con abbastanza dolore e abbastanza genio da voltare le spalle alle seduzioni del mondo, alle sue tazze da tè e ai suoi cappotti.

"Forse Angelica..." dice Virginia.

Ma ecco Nelly in soccorso: furibonda, trionfante, di ritorno da Londra con un pacchetto che contiene tè cinese e zenzero zuccherato. Tiene il pacchetto in alto, come se dovesse lanciarlo.

"Buon pomeriggio, signora Bell," dice con la calma studiata di un boia.

Ecco Nelly con il tè e lo zenzero, ed ecco, per sempre, Virginia, indicibilmente felice, più che felice, viva, che siede con Vanessa in cucina in un qualunque giorno di primavera, mentre Nelly, la sconfitta regina delle Amazzoni, Nelly che è sempre indignata, mostra ciò che è stata costretta a portare.

Nelly si allontana e, sebbene non sia affatto loro abitudine, Virginia si protende in avanti e bacia Vanessa sulla bocca. È un bacio innocente, abbastanza innocente, ma proprio ora, in questa cucina, alle spalle di Nelly, sembra il più delizioso e proibito dei piaceri. Vanessa ricambia il bacio.

La signora Dalloway

"Povero Louis."

Julia sospira con un misto sorprendentemente maturo di compassione e pazienza ormai esaurita, e sembra, per un momento, una figura antica che esprime la rimostranza materna, parte di una catena centenaria di donne che hanno sospirato con compassione e pazienza esaurita per le strane passioni degli uomini. Per un momento Clarissa riesce a immaginare la figlia a cinquant'anni: sarà quello che la gente chiama "una donna grande di corpo e di spirito", imperscrutabilmente abile, decisa, priva di drammaticità, una che si alza presto. Clarissa vuole, in questo momento, essere Louis: non essere *con* lui (il che può essere spinoso, difficile), ma *essere* lui – una persona infelice, una persona strana, sfiduciata, priva di scrupoli, libera per le strade.

"Sì," dice. "Povero Louis."

Louis rovinerà la festa per Richard? Perché ha chiesto a Walter Hardy di venire?

"Che uomo strano," dice Julia.

"Sopporteresti se ti abbracciassi?"

Julia ride, e ha di nuovo diciannove anni. È bella in una maniera impossibile. Va a vedere film di cui Vanessa non ha mai sentito parlare, soffre di attacchi di cupezza e di euforia. Porta sei anelli alla mano sinistra, e nessuno di essi è quello che Clarissa le ha regalato per il diciottesimo compleanno. Ha un anello d'argento al naso.

"Certo," dice.

Clarissa abbraccia Julia e, dopo poco, la libera dalla stretta.

"Come stai?" chiede di nuovo, poi subito se ne pente. Si preoccupa che sia una delle sue manie: una di quelle innocenti piccole abitudini che ispirano pensieri omicidi nei figli. Sua madre si schiariva continuamente la gola. Sua madre faceva precedere tutte le sue opinioni contrarie dalla frase: "Odio fare la guastafeste, ma..." Queste cose sopravvivono nella memoria di Clarissa, e ancora possono ispirarle rabbia, dopo che la gentilezza e la modestia della madre, la sua generosità, sono sbiadite. Clarissa dice troppo spesso a Julia: "Come stai?" Lo fa in parte per nervosismo (come può fare a meno di essere formale con Julia e di sentirsi un po' ansiosa dopo tutto quello che è successo?) e in parte, semplicemente, perché vuole sapere.

Pensa che la sua festa andrà male. Richard si annoierà e si offenderà, e a ragione. Lei è superficiale, si preoccupa troppo di queste cose. Sua figlia si prende sicuramente gioco di lei con gli amici.

Ma avere amici come Mary Krull!

"Sto bene," dice Julia.

"Hai un aspetto meraviglioso," dice Clarissa, con gioiosa disperazione. Almeno è stata generosa. È stata una madre che fa complimenti alla figlia, che le infonde fiducia, che non si lamenta dei suoi problemi.

"Grazie," dice Julia. "Ho lasciato il mio zaino qui, ieri?"

"Sì. È sull'attaccapanni accanto alla porta."

"Bene. Mary e io andiamo a fare spese."

"Dove vi incontrate?"

"In effetti, è qui. È fuori."

"Oh."

"Sta fumando una sigaretta."

"Bene, forse quando ha finito la sigaretta potrebbe entrare a salutare."

Il volto di Julia si fa più scuro, per un pentimento e per qualcos'altro – è la sua vecchia furia che ritorna, o è solo un normale senso di colpa? Restano in silenzio. Sembra che la forza delle convenzioni riemerga potente come l'attrazione gravitazionale. Anche se sei stato ribelle tutta la vita, se hai cresciuto una figlia onestamente per quanto hai potuto, in una casa abitata da donne (il padre nient'altro che una fialetta numerata: spiacente Julia, non c'è modo di rintracciarlo), anche con tutto ciò, un giorno ti ritrovi in piedi su un tappeto persiano, piena di disapprovazione materna e di amarezza, ferita, a fronteggiare una ragazza che ti disprezza (deve farlo ancora, no?) per averla privata di un padre. *"Forse quando ha finito la sigaretta potrebbe entrare a salutare."*

Ma perché Mary non dovrebbe essere tenuta a rispettare alcune fondamentali norme del vivere civile? Non aspetti fuori dall'appartamento di qualcuno, non importa quanto tu sia brillante o infuriata. Entri e dici: "Ciao." Lo affronti.

"Vado a prenderla," dice Julia.

"Non fa niente."

"No, davvero. È solo fuori a fumare. Sai com'è. Prima le sigarette, e poi tutto il resto."

"Non spingerla a entrare. Onestamente. Vai, sentiti libera."

"No. Voglio che vi conosciate meglio."

"Ci conosciamo alla perfezione."

"Non avere paura, mamma. Mary è un tesoro. È totalmente, totalmente inoffensiva."

"Non ho *paura* di lei. Dio santo."

Julia si esibisce in un sorriso furbo e indisponente, scuote la testa e se ne va. Clarissa si china verso il tavolino, sposta il vaso un paio di centimetri a sinistra. Ha l'impulso di nascondere le rose. Se solo fosse qualcuno di diverso da Mary Krull. Se solo fosse chiunque altro.

Julia ritorna, con Mary dietro di lei. Eccola, ancora una volta, Mary – Mary, dura e rigorosa. Mary con la testa giustamente rasata che comincia a mostrare un'ombra scura, che indossa pantaloni larghi color topo, con il seno ciondolante (deve avere più di quarant'anni) sotto una canottiera bianca lacera. Ecco il suo passo pesante; gli occhi svegli e sospettosi. Vedendo Julia e Mary insieme, Clarissa pensa a una ragazzina che porta a casa un cane randagio, tutt'ossa, con i denti macchiati: una creatura patetica e tutto sommato pericolosa, che evidentemente ha bisogno di una casa, ma la cui fame è così profonda che non può essere toccata da nessuna manifestazione di amore o generosità. Il cane continuerà solo a mangiare e mangiare. Non sarà mai soddisfatto: non sarà mai addomesticato.

"Salve, Mary," dice Clarissa.

"Ciao, Clarissa." Attraversa la stanza e stringe la mano di Clarissa. La mano di Mary è piccola, forte, sorprendentemente morbida.

"Come stai?" chiede Mary.

"Bene, grazie. Tu?"

Scrolla le spalle. Come *dovrei* stare, come dovrebbero stare tutti in un mondo come questo? Clarissa è caduta con grande facilità nella domanda-trabocchetto. Pensa alle rose. Non è che costringono i bambini a raccoglierle? Non è che famiglie intere arrivino nei campi all'alba e trascorrano giornate chine sui cespugli, con le schiene doloranti e le dita che sanguinano per le spine?

"Andate a fare acquisti?" dice, e non cerca di nascondere il disprezzo nella voce.

Julia dice: "Stivali nuovi. Quelli di Mary si sfasciano mentre cammina."

"Detesto fare acquisti," dice Mary. Offre un abbozzo di sorriso di scusa. "È una tale perdita di tempo."

"Oggi compriamo gli stivali nuovi," dice Julia. "Punto."

La figlia di Clarissa, questa ragazza meravigliosa, intelligente, potrebbe essere una moglie gioiosa, che porta il marito in giro per un giorno di commissioni. Potrebbe essere un personaggio degli anni cinquanta, con qualche cambiamento relativamente secondario.

Mary dice a Clarissa: "Non ce la farei senza aiuto. Posso affrontare un poliziotto con i lacrimogeni, ma non mi avvicinare se sei un commesso."

Clarissa capisce, ed è uno shock, che Mary sta facendo uno sforzo: sta cercando, a suo modo, di essere gradevole.

"Oh, non possono essere così spaventosi," dice lei.

"Sono i negozi, tutto, tutta quella *merda* dappertutto, scusa, quella *merce*, quei *prodotti*, e gli annunci che ti gridano addosso tutt'intorno – '*Compra compra compra compra compra*' –, e quando qualcuno viene da me con i capelli cotonati e tonnella-

132

te di trucco e dice: 'Posso aiutarla?', devo trattenermi per non gridare: 'Stronza, tu non puoi aiutare neanche *te stessa*'."

"Mm," dice Clarissa. "Sembra una cosa seria."

Julia dice: "Mary, andiamo."

Clarissa dice a Julia: "Occupati di lei."

Stupida, pensa Mary Krull. *Strega compiaciuta e tronfia.*

Si corregge. Clarissa Vaughan non è il nemico. Clarissa Vaughan è solo una persona delusa, né più né meno di questo. Crede che rispettando le regole può avere quello che hanno gli uomini. Ha comprato il biglietto. Non è colpa sua. Comunque Mary vorrebbe afferrarla per la camicia e gridare: "*Onestamente credi che se faranno una retata di diversi non verranno a bussare alla tua porta, vero? Sei davvero così stupida!*"

"Ciao mamma," dice Julia.

"Non dimenticare lo zaino," dice Clarissa.

"Oh, sì." Julia ride e prende lo zaino dall'attaccapanni. È di tela color arancio brillante, non il tipo di cosa che ci si aspetterebbe da lei.

Che cosa c'era di tanto sbagliato nell'anello?

Mentre Julia è di spalle, Clarissa e Mary si guardano brevemente in faccia. *Stupida*, pensa Mary, anche se combatte per restare compassionevole o, almeno, serena. No, affanculo la gentilezza. Qualsiasi cosa è meglio degli omosessuali della vecchia scuola, vestiti per farsi accettare, borghesi fino all'osso, che vivono come marito e moglie. Meglio essere un pezzo di merda apertamente visibile, meglio essere quel cazzo di John Wayne che una lesbica ben vestita con un lavoro rispettabile.

Imbrogliona, pensa Clarissa. Hai ingannato mia figlia, ma non puoi ingannare me. Riconosco una conquistatrice quando ne vedo una. So tutto sul far colpo. Non è difficile. Se gridi abbastanza forte, abbastanza a lungo, una folla si radunerà per vedere perché c'è tanto rumore. È così che funzionano le folle. Non rimangono a lungo, a meno che tu non offra loro un motivo. Sei cattiva com'è cattiva la maggior parte degli uomini, con la stessa aggressività, la stessa autoesaltazione, e il tuo momento arriverà e finirà.

"Bene," dice Julia. "Andiamo."

Clarissa dice: "Ricordati la festa. Alle cinque."

"Certo," risponde Julia. Si carica lo zaino arancione sulle spalle e provoca in Clarissa e Mary un identico sentimento. Entrambe adorano con particolare forza la sicurezza di Julia, allo stesso tempo ruvida e gentile, i giorni senza fine che la aspettano.

"Ci vediamo," dice Clarissa.

È superficiale. È una persona che pensa troppo alle feste. Se solo Julia un giorno potesse perdonarla...

"Ciao," dice Mary, e si allontana nella scia di Julia oltre la porta.

Ma perché Mary Krull fra tutti? Perché una ragazza eterosessuale come Julia deve rendersi schiava di lei? Ha ancora così tanti problemi per il padre?

Mary esita un momento dietro a Julia, e si concede uno sguardo alla sua schiena larga e aggraziata, alle lune gemelle del suo culo. Mary è quasi sopraffatta dal desiderio e da qualcos'altro, un nervo più sottile e più squisitamente doloroso che si ramifica nel suo desiderio. Julia le ispira un desiderio patriottico, come se fosse la terra lontana in cui Mary è nata e da cui è stata esiliata.

"Andiamo." Julia la chiama allegramente girandosi appena, guardandola da dietro la lucentezza arancione del suo zaino.

Mary rimane per un momento a guardare. Crede di non aver mai visto niente di così bello. *Se tu mi amassi farei qualunque cosa*, pensa. *Farei qualunque cosa. Capito? Qualunque.*

"Andiamo, muoviti," dice ancora Julia, e Mary si affretta dietro di lei, senza speranza, agonizzante (Julia non la ama, non in quel senso, e non lo farà mai), per andare a comprare degli stivali nuovi.

La signora Woolf

Vanessa e i bambini sono ritornati a Charleston. Nelly è giù a preparare la cena, misteriosamente allegra, più di quanto sia stata da giorni – è possibile che le sia piaciuto il fatto di essere stata spedita a fare una commissione stupida, che assapori così tanto l'ingiustizia che le è stata fatta da cantare da sola in cucina? Leonard sta scrivendo nel suo studio, e il tordo giace sul suo letto di erba e rose in giardino. Virginia è davanti a una delle finestre a battenti e guarda la sera che scende su Richmond.

È la fine di un giorno qualunque. Sul suo scrittoio in una stanza illuminata ci sono le pagine del nuovo romanzo, in cui ripone eccessive speranze e che al momento teme (crede di *sapere*) si rivelerà arido e debole, privo di vero sentimento: un vicolo cieco. Sono passate solo poche ore, eppure quello che ha provato in cucina con Vanessa – quella possente soddisfazione, quella beatitudine – è evaporato così completamente che potrebbe non essere mai esistito. C'è solo questo. L'odore della carne di manzo di Nelly che bolle (rivoltante, e Leonard la osserverà mentre lei cercherà di mangiarla), tutti gli orologi di casa che stanno per battere la mezz'ora, il suo volto che si riflette con nitidezza sempre maggiore nel vetro della finestra mentre le luci della strada – un giallo limone pallido contro il cielo blu inchiostro – si accendono in tutta Richmond. È abbastanza, dice a se stessa. Si sforza di crederci. È abbastanza trovarsi in questa casa, salvata dalla guerra, con una notte di lettura che la aspetta, e poi il sonno, e poi ancora lavoro al mattino. È abbastanza che le luci della strada lancino ombre gialle tra gli alberi.

135

Riesce a sentire il mal di testa che sale su, dietro il suo. Si irrigidisce. No, è il ricordo del mal di testa, è la paura del mal di testa, entrambi così vividi da essere almeno brevemente indistinguibili da un attacco del mal di testa stesso. Se ne sta dritta in piedi, in attesa. Va tutto bene. Va tutto bene. Le pareti della stanza non oscillano. Niente mormora da dentro l'intonaco. È lei, in piedi qui, con un marito a casa, domestici e tappeti e cuscini e lampade. È lei.

Sa che uscirà appena prima di decidere di uscire. Una passeggiata. Farà semplicemente una passeggiata. Ritornerà in mezz'ora, o meno. In fretta si infila mantello e cappello, la sciarpa. Va in silenzio alla porta sul retro, esce; chiude la porta dietro di sé, facendo attenzione a non fare rumore. Preferirebbe che nessuno le chiedesse dove sta andando, o a che ora ha intenzione di rientrare.

Fuori, in giardino, c'è la collinetta ombrosa del tordo, riparata dalle siepi. Ha cominciato a soffiare un forte vento da est, e Virginia rabbrividisce. Le sembra di aver lasciato la casa (dove la carne sta bollendo, dove le lampade sono accese) e di essere entrata nel regno dell'uccello morto. Pensa a come i morti appena sepolti rimangano tutta la notte nelle loro tombe, dopo che gli altri hanno seguito il funerale, hanno recitato preghiere, hanno deposto corone e sono ritornati al villaggio. Dopo che le ruote hanno corso sul fango secco della strada, dopo che le cene sono state mangiate e i copriletti stesi: dopo che tutto questo è successo, resta la tomba, con i fiori leggermente mossi dal vento. È spaventosa, ma non completamente spiacevole, questa sensazione da cimitero. È vero, è vero in una maniera schiacciante. È, a suo modo, più sopportabile, più nobile della carne e delle lampade. Scende le scale, cammina sull'erba.

Il corpo del tordo è ancora lì (strano come cani e gatti del vicinato non siano interessati), minuscolo anche per essere un uccello, così totalmente privo di vita, qui al buio, come un guanto perso, questo piccolo vuoto mucchietto di morte. Virginia è in piedi di fronte a esso. È spazzatura, adesso. Ha perduto la bellezza del pomeriggio come Virginia ha perso il miracolo del tè pensando a tazze e cappotti, proprio come il giorno sta perdendo il suo calore. Al mattino Leonard raccoglierà uccello e erba e rose con uno straccio e butterà tutto via. Pensa a quanto più spazio occupi un essere in vita che in morte, a quanta dimensione illusoria sia contenuta nei gesti, nel movimento, nel respiro. Morti, ci riveliamo nelle nostre vere dimensioni, e sono dimensioni sorprendentemente modeste. Non le era sembrato forse che sua madre fosse stata portata via e sostituita da una versione più piccola fatta di ferro chiaro? Non ha sentito forse lei stessa, Virginia, uno spazio vuoto dentro di sé, sorprendentemente piccolo, dove sembrava avessero dimora i sentimenti più forti?

Eccolo, allora, il mondo (casa, cielo, una prima incerta stella), ed ecco l'opposto: questa piccola sagoma scura in un cerchio di rose. È spazzatura, tutto qui: bellezza e dignità erano illusioni nutrite dalla presenza dei bambini, alimentate a beneficio dei bambini.

Si volta e si allontana. In questo momento le sembra possibile che ci sia un altro posto – un posto che non ha niente a che fare con la carne bollita né con il cerchio di rose. Varca il cancello del giardino e va lungo il vialetto, si dirige in città.

Mentre attraversa Princes Street e va giù per Waterloo Place (verso cosa?) supera un uomo massiccio, imponente, con una borsa a cartella; due donne, devono essere domestiche di ritorno da un pomeriggio libero, che chiacchierano, le gambe bianche che spuntano sotto vestiti leggeri, il luccichio dozzinale di un braccialetto. Virginia stringe il bavero della mantella intorno al collo, anche se non fa freddo. Sta solo facendo buio, e c'è un po' di vento. Crede che arriverà a piedi in centro, sì, ma cosa farà lì? I negozi, già adesso, vengono spazzati e preparati per la chiusura. Supera una coppia, un uomo e una donna più giovani di lei, che camminano insieme, lenti, chini l'uno sull'altra nella morbida luce giallo pallido di un lampione, parlando (sente l'uomo che dice: "Mi ha detto *qualcosa qualcosa qualcosa* in quest'azienda, *qualcosa qualcosa*, certo"); sia l'uomo che la donna indossano cappelli alla moda; dietro di loro pende come una bandiera l'estremità con le frange di una sciarpa color senape (di chi è?); entrambi sono chini leggermente in avanti ol-

137

tre che l'una verso l'altro, salgono su per la collina, tenendosi i cappelli contro il vento, determinati ma senza fretta, di ritorno a casa (molto probabilmente) da una giornata a Londra; adesso lui sta dicendo: "E quindi devo chiederti...", dopo di che abbassa la voce – Virginia non riesce proprio a distinguere le parole –, e la donna emette un allegro gridolino, e mostra un breve lampo bianco di denti e l'uomo ride, andando avanti, mettendo avanti con perfetta fiducia la punta di una e poi dell'altra scarpa marrone perfettamente lucida.

Sono sola, pensa Virginia, mentre l'uomo e la donna proseguono su per la collina e lei continua a scendere. Ovviamente non è sola, non nel modo in cui chiunque altro la vedrebbe, eppure in questo momento, camminando nel vento verso del luci del Quadrante, riesce a sentire la vicinanza del vecchio diavolo (come altrimenti chiamarlo) e sa che sarà completamente sola se e quando il diavolo sceglierà di ricomparire. Il diavolo è un mal di testa; il diavolo è una voce dentro il muro; il diavolo è una pinna che rompe la superficie di onde scure. Il diavolo è il breve e cinguettante nulla che è stata la vita di un tordo. Il diavolo succhia tutta la vita dal mondo, tutta la speranza, e quel che resta quando il diavolo ha finito è un regno di morti viventi – privo di gioia, soffocante. Virginia sente, proprio adesso, una certa grandiosità tragica, perché il diavolo è tante cose ma non meschino, non sentimentale; ribolle di una verità letale, intollerabile. Proprio in questo momento, camminando, libera dal mal di testa, libera dalle voci, può affrontare il diavolo, ma deve continuare a camminare, non deve voltarsi.

Quando raggiunge il Quadrante (il macellaio e il fruttivendolo hanno già tirato su i loro tendoni) si volta verso la stazione ferroviaria. Pensa di andare a Londra, come Nelly per la commissione, anche se la commissione di Virginia sarà il viaggio stesso, la mezz'ora di treno, la discesa a Paddington, la possibilità di camminare da una strada all'altra, a un'altra ancora. Che salto! Che tuffo! Le sembra di poter essere felice, di poter prosperare, se ha Londra intorno a sé; se sparisce per un po' nella sua enormità, sfrontata e impudente ora sotto un cielo privo di minacce, tutte le finestre senza tende (qui il profilo auste-

138

ro di una donna, lì la corona di una sedia intagliata), il traffico, uomini e donne che se ne vanno spensieratamente in giro con i vestiti da sera; l'odore di cera e benzina, di profumo, mentre qualcuno (in una di queste larghe strade, in una di queste case bianche con il portico) suona il pianoforte; mentre clacson gemono e cani abbaiano, mentre l'intero carnevale rauco va avanti e continua, brillante, scintillante; mentre il Big Ben batte le ore, che cadono in cerchi di piombo sulle persone che vanno alle feste e sugli autobus, sulla regina Vittoria di pietra seduta davanti al palazzo tra le sue piattaforme di gerani, sui parchi che giacciono sprofondati nella loro solennità ombrosa dietro recinti di ferro nero.

Virginia scende le scale verso la stazione ferroviaria. La stazione di Richmond è allo stesso tempo una porta che conduce in altri luoghi e una destinazione in sé. Ha le colonne, un tendone; è piena di un debole odore di bruciato, leggermente desolata anche quando è affollata (come adesso), con le sue file di panche di legno giallo che non invitano a trattenersi. Controlla l'orologio, vede che il treno è appena andato via, e che il prossimo non partirà prima di circa venticinque minuti. Si irrigidisce. Aveva immaginato (stupida!) di salire su un treno o al massimo di aspettare cinque o dieci minuti. Sosta con impazienza davanti all'orologio, poi fa pochi passi lenti verso la piattaforma. Se lo fa, se sale sul treno che parte fra, quanto adesso, ventitré minuti, e va a Londra, e cammina per Londra e prende l'ultimo treno per rientrare (che la riporterà a Richmond dieci minuti dopo le undici), Leonard impazzirà per la preoccupazione. Se lo chiama (c'è un telefono pubblico, installato di recente, qui in stazione), sarà furibondo: le chiederà di ritornare immediatamente, suggerirà (non lo dirà mai chiaro e tondo) che se si stancherà e si sentirà distrutta, se si ammalerà di nuovo, se lo sarà cercato. E qui, naturalmente, c'è il problema: ha perfettamente ragione e, allo stesso tempo, sbaglia completamente. Sta meglio, è più al sicuro, se resta a Richmond; se non parla troppo, se non scrive troppo, se non prova troppe sensazioni; se non si reca precipitosamente a Londra e cammina per le sue strade; eppure così sta morendo, sta morendo delicatamente su un letto di rose. Meglio, davvero, affrontare la pinna nell'acqua che vivere nascondendosi, come se la guerra fosse ancora in corso (strano come il primo ricordo che le affiori nella mente, dopo tutto questo, sia l'attesa infinita in cantina, l'intera famiglia stipata tutta insieme, e dover conversare per ore con Nelly e Lottie). La sua vita (ha già più di quarant'anni!) si sta consumando, misura dopo misura, e la carrozza carnevalesca di Vanessa – la sua festa gioiosa, la vita grande, i bambini e i colori e gli amori, la casa gioiosamente zeppa – è passata nella notte, lasciando dietro l'eco dei cembali, le note della fisarmonica, mentre le ruote si allontanano cigolando lungo la strada. No, non telefonerà dalla stazione: lo farà una volta arrivata a Londra, una volta che non si può fare più niente. Accetterà la sua punizione.

Compra un biglietto dall'uomo con la faccia arrossata che sta dietro la grata. Va a sedersi, molto impettita, su una panca di legno. Ancora diciotto minuti. Siede sulla panca, guardando fisso di fronte a sé (se solo avesse qualcosa da leggere), finché non ce la fa più (ancora quindici minuti). Si alza ed esce dalla stazione. Se percorre un isolato fino a Kew Road, e ritorna indietro, farà in tempo a prendere il treno.

Sta superando il suo riflesso dorato che si frammenta nella scritta del macellaio a caratteri d'oro, sospesa sul vetro sopra la carcassa di un agnello (un ciuffo di lana pallida è ancora attaccato all'astragalo), quando vede Leonard che cammina verso di lei. Pensa per un momento di voltarsi e correre verso la stazione; pensa di sfuggire alla catastrofe. Non fa niente del genere. Continua a camminare in avanti, verso Leonard, che è chiaramente uscito in fretta e furia, con le pantofole di pelle, e che sembra eccessivamente magro – macilento – con il suo panciotto e la giacca di velluto a coste, il colletto aperto. Anche se è venuto a cercarla come un governatore o un censore, un personaggio che esprime le sue rimostranze, lei è impressionata da quanto sembra piccolo, in pantofole a Kew Road, come sembra di mezz'età, ordinario. Lo vede per un momento come un'estranea potrebbe vederlo: semplicemente come uno degli altri uomini che camminano per strada. È triste per lui, e stranamente commossa. Riesce a tirare fuori un sorriso ironico.

"Signor Woolf," dice. "Che piacere inaspettato."

Lui dice: "Ti spiacerebbe dirmi cosa stai facendo, per favore?"

"Una passeggiata. Sembra una cosa misteriosa?"

"Solo quando sparisci da casa, appena prima di cena, senza dire una parola."

"Mi spiaceva interromperti. Sapevo che stavi lavorando."

"Sì, stavo lavorando, in effetti."

"Bene, allora."

"Non devi sparire. Non mi piace."

"Leonard, ti stai comportando molto stranamente."

Si acciglia. "Davvero? Non so cosa sia, davvero. Vengo a cercarti, e tu non ci sei. Allora penso che sia successo qualcosa. Non so perché."

Lo immagina mentre la cerca in casa, controlla in giardino. Lo vede che si affretta, supera il corpo del tordo, attraversa il cancello, giù per la collina. Di colpo, all'improvviso, le dispiace per lui. Dovrebbe dirgli, e lo sa, che la sua premonizione non era interamente sbagliata, che in effetti aveva progettato una specie di fuga, che in effetti aveva intenzione di sparire, anche se solo per poche ore.

"Non è successo niente," dice lei. "Ho solo preso un po' d'aria in strada. È una notte così bella."

"Ero molto preoccupato," dice lui. "Non so perché."

Restano lì in un silenzio breve, insolito. Guardano nella vetrina del macellaio, dove sono riflessi, scomposti in pezzi, sulle lettere d'oro.

Leonard dice: "Dobbiamo ritornare da Nelly. Abbiamo circa quindici minuti prima che vada su tutte le furie e bruci la casa."

Virginia esita. Londra, però! Vuole ancora, disperatamente, salire sul treno.

"Devi aver fame," dice lei.

"Sì, un po'. Anche tu, di certo."

Pensa improvvisamente a quanto siano fragili gli uomini, a come siano pieni di terrore. Pensa a Quentin, che entra in casa per lavarsi via la morte del tordo dalle mani. In questo momento le sembra di essere a cavallo di una linea invisibile, un

141

piede da questo lato, il secondo dall'altro. Da questa parte c'è il serio, preoccupato Leonard, la fila di negozi chiusi, l'altura scura che riporta a Hogarth House, dove Nelly aspetta con impazienza, quasi allegramente, per non perdersi la possibilità di ulteriori lamentele. Dall'altra parte c'è il treno. Dall'altro lato c'è Londra, e tutto ciò che Londra comporta: libertà, baci, arte in tutte le sue forme e il sottile scintillio scuro della follia. La signora Dalloway, pensa, è una casa in collina dove sta per cominciare una festa; la morte è la città in basso, che la signora Dalloway ama e di cui ha paura, e in cui vuole, in un certo senso, camminare tanto a lungo da non trovare più la strada per ritornare.

Virginia dice: "È tempo di ritornare a vivere a Londra, non credi?"

"Non ne sono sicuro," risponde Leonard.

"È molto tempo che sto meglio. Non possiamo vivere in un sobborgo per sempre, no?"

"Parliamone a cena, va bene?"

"Va bene."

"Vuoi così tanto vivere a Londra?"

"Sì," dice. "Vorrei che fosse diverso. Vorrei essere contenta di questa vita tranquilla."

"Anch'io."

"Andiamo," dice lei.

Tiene il biglietto nella borsa. Non dirà mai a Leonard che ha pianificato una fuga, anche se per poche ore. Come se fosse lui quello che ha bisogno di cure e conforto – come se fosse lui quello in pericolo. Virginia infila il braccio sotto il suo, e dà al gomito di lui una stretta affettuosa. Cominciano a salire su per la collina verso Hogarth House, sottobraccio, come qualsiasi altra coppia di mezz'età che torna a casa.

La signora Dalloway

"Altro caffè?" dice Oliver a Sally.

"Grazie." Sally passa la sua tazza all'assistente di Oliver, un ragazzo sorprendentemente semplice, biondo chiaro, con le guance incavate che, sebbene presentato come assistente, pare sia preposto a versare il caffè. Sally si era aspettata un impeccabile giovane stallone, tutto mascella e bicipiti. Questo ragazzo allampanato, diligente, sarebbe perfettamente a suo agio dietro il banco profumeria di un grande magazzino.

"Allora cosa ne pensi?" dice Oliver.

Sally osserva il caffè mentre viene versato, per evitare di guardare Oliver. Quando la tazza le è stata messa di fronte, lancia uno sguardo a Walter Hardy, che non lascia trapelare nulla. Walter ha un talento, notevole a suo modo, per apparire totalmente attento e completamente vuoto, come una lucertola arrampicata su una pietra assolata.

"Interessante," dice Sally.

"Sì," risponde Oliver.

Sally annuisce giudiziosamente, sorseggia il suo caffè. "Mi chiedo," dice lei, "se si possa fare davvero."

"Credo che sia tempo," Oliver risponde. "Credo che la gente sia pronta."

"Davvero?"

Sally si rivolge, in silenzio, a Walter. *Parla, idiota.* Walter semplicemente annuisce, batte le palpebre, prende tempo, attento alla possibilità di pericolo e, allo stesso tempo, completamente ipnotizzato dal calore che emana da Oliver St. Ives, che è magro e scarmigliato, quarantacinquenne, gli occhi vivaci dietro i semplici occhiali dalla montatura dorata; la sua immagine su celluloide è sopravvissuta a innumerevoli tentativi da parte di altri uomini di ucciderlo, imbrogliarlo, infangare il suo nome, rovinare la sua famiglia; ha fatto l'amore con delle dee, sempre con lo stesso ardore imbarazzato, come se non riuscisse a credere alla sua fortuna.

"Sì," dice Oliver, con un'avvertibile punta di impazienza nella voce.

"Sembra davvero… be', molto interessante," dice Sally, e non riesce a non ridere.

"Walter potrebbe farlo," dice Oliver. "Walter potrebbe riuscire a farlo quadrare."

Al suono del suo nome, Walter si anima, batte le palpebre più rapidamente, si china in avanti sulla poltrona, cambia completamente colore. "Mi piacerebbe provarci," dice.

Oliver sorride con il suo famoso sorriso. Sally è ancora sorpresa, a volte, per come Oliver assomigli a se stesso. Le star del cinema non dovrebbero essere basse, ordinarie, con un brutto carattere? Oliver St. Ives dev'essere stato identificabile come una star del cinema fin dall'infanzia. È incandescente; è bunyanesco. Non può essere molto più basso di uno e novanta, e le sue mani perfettamente disegnate con qualche ciuffo di pelo biondo potrebbero facilmente serrare la testa della maggior parte degli altri uomini. Ha una corporatura robusta, con un viso regolare, e se di persona non è così bello come sullo schermo, porta comunque tutta la sua misteriosa e innegabile singolarità, una singolarità non solo dello spirito, ma anche della carne, come se tutti gli altri muscolosi, esuberanti e risoluti uomini americani fossero in un certo senso sue copie, fatte bene o scadenti.

"Fallo," dice Oliver a Walter. "Ho grande fiducia nelle tue capacità. Ehi, mi hai mandato a monte la carriera con un solo raccontino."

Walter cerca di fare una risatina furba, che però viene fuori terribilmente avvilita, e piena di odio. Sally lo immagina, improvvisamente e con perfetta chiarezza, a dieci anni. Dev'essere stato sovrappeso, disperatamente amichevole, capace di valutare il livello sociale degli altri bambini di dieci anni con una precisione millimetrica. Dev'essere stato capace di ogni forma di scorrettezza.

"Non dirmi così," dice Walter, ridendo. "Non ho cercato di convincerti a non farlo? Quante volte ti ho chiamato?"

"Oh, non preoccuparti, amico mio, ti sto prendendo in giro," dice Oliver. "Non ho rimpianti di nessun tipo. Cosa pensi per la sceneggiatura?"

"Non ho mai provato a scrivere un thriller," dice Walter.

"È facile. È la cosa più facile del mondo. Ingaggia mezza dozzina di quelli che hanno fatto soldi e saprai tutto quello che c'è da sapere."

"Questo sarebbe un po' differente, però," dice Sally.

"No," risponde Oliver con pazienza, sorridente ma stizzito. "Nessuna differenza. Questo avrà un uomo gay come eroe. È la sola cosa, e non è una cosa tanto grande. Non sarà tormentato per la sua sessualità. Non avrà l'HIV. Sarà solo un gay che fa il suo lavoro. Che salva il mondo in una maniera o nell'altra."

"Mm-hm," dice Walter. "Credo che potrei farlo. Mi piacerebbe provare."

"Bene. Eccellente."

Sally sorseggia il caffè, desiderando di essere già andata via e desiderando di rimanere; desiderando di non desiderare l'ammirazione di Oliver St. Ives. Non c'è nessuna forza più potente al mondo della fama, pensa. Per aiutarsi a conservare un equilibrio, si guarda intorno nell'appartamento, che è stato fotografato sulla copertina di *Architectural Digest* un anno prima che Oliver uscisse allo scoperto, e che probabilmente non apparirà mai più in una rivista, dato ciò che la divulgata natura sessuale di Oliver comporta per quanto riguarda il suo gusto. L'ironia, pensa Sally, è che l'appartamento è brutto in un modo che lei associa allo sfarzo macho, con il suo tavolino in formica e le pareti laccate color marrone, le nicchie in cui oggetti asiatici e africani illuminati (Oliver sicuramente pensa che siano "drammaticamente illuminati") suggeriscono, nonostante la loro esposizione immacolata e reverenziale, non tanto l'idea che appartengano a un intenditore ma a qualcuno che ha perpetrato un saccheggio. È la terza volta che Sally viene qui, e ogni volta ha avvertito l'impulso di confiscare i tesori e riconsegnarli ai legittimi proprietari. Finge attenzione verso Oliver e intanto si immagina di entrare in un remoto villaggio di montagna fra urla di gioia e manifestazioni di solidarietà, portando con sé la maschera da antilope scurita dal tempo o la coppa verde chiaro, leggermente fosforescente, in cui due carpe dipinte hanno nuotato per secoli.

"Non sei molto convinta, Sal?" dice Oliver.

"Hm?"

"Non sei convinta."

"Oh, be', convinta, non convinta... Sono molto lontana dal mio terreno qui. Cosa ne so di Hollywood?"

"Sei più intelligente della maggior parte della gente qui fuori. Sei una delle poche persone legate al business che io rispetti."

"Non sono legata al business, per niente; tu sai quello che faccio..."

"Non sei convinta."

"Bene, no, non lo sono," dice lei. "Ma davvero, cosa conta?"

Oliver sospira e spinge gli occhiali sul naso, un gesto che Sally è sicura di ricordare in uno dei suoi film, qualcosa che trattava di un uomo mite (commercialista? Avvocato? Poteva essere un produttore televisivo?) che alla fine è costretto a sterminare un piccolo esercito di trafficanti di droga per salvare la figlia adolescente.

"Ammetto che dovremo farlo con molta attenzione," dice Oliver lentamente. "Non mi faccio illusioni pensando che sia una cosa sicura."

"Avrà un amante?"

"Un compagno. Una spalla. Un po' come Batman e Robin."

"Faranno sesso?"

"Nessuno fa sesso in un thriller. Rallenta troppo l'azione. Ti perdi il pubblico dei ragazzini. Al massimo, c'è il bacio alla fine."

"Si baceranno alla fine, allora?"

"Questo è il campo di Walter."

"Walter?"

Walter batte le palpebre e ritorna in azione. "Ehi," dice, "ho solo detto tre minuti fa che potrei farlo. Non fate troppo i complicati, eh?"

Oliver dice: "Non possiamo stare troppo a calcolare. Ho visto troppe persone mettersi sedute a scrivere un successo garantito, e hanno sempre fatto fiasco. C'è una specie di maledizione."

"Credi che interesserà alla gente?" dice Sally. "Cioè interesserà ad abbastanza persone?"

Oliver sospira ancora, e questo sospiro è marcatamente differente per tono da quello precedente. Questo è un sospiro rassegnato e finale, che va verso il registro nasale, significativo nella sua assenza di dramma. È come il primo disinteressato sospiro che un amante manda attraverso i cavi telefonici, il sospiro che segnala l'inizio della fine. È un sospiro che Oliver ha usato in un film? O qualcun altro, una persona vera, ha sospirato così nell'orecchio di Sally molto tempo fa?

"Bene," dice Oliver. Mette le mani, a palmi ingiù, sulla tovaglia. "Walter, perché non ne riparliamo io e te fra un paio di giorni, dopo che hai avuto la possibilità di pensarci un po' su?"

"Certo," dice Walter. "Va bene."

Sally beve l'ultimo sorso di caffè. È, con tutta evidenza, un gioco per uomini, un ambito di illusione maschile. Non hanno mai avuto bisogno di lei, non veramente. Dopo essere apparso nel suo show, Oliver ha semplicemente avuto l'idea (e diciamolo chiaramente: non è Einstein) che Sally fosse la sua musa e mentore, una specie di Saffo che pronuncia parole di mesta saggezza dalla sua isola. Meglio darci un taglio adesso.

Tuttavia c'è questo terribile desiderio di essere amata da Oliver St. Ives. C'è questo orrore a essere lasciata dietro.

"Grazie per essere venuta," dice Oliver, e Sally domina l'impulso di ritrattare, di protendersi sulla tavola verso Oliver, sugli avanzi del pranzo e dire: *Ci ho ripensato, e credo che un thriller con un eroe gay potrebbe davvero funzionare.*

Arrivederci, allora. È tempo di ritornare in strada.

Sally è con Walter all'angolo fra Madison e la Seventieth. Non parlano di Oliver St. Ives. Capiscono, in maniera differente,

147

che Walter ce l'ha fatta e Sally ha fallito, e che Sally ce l'ha fatta e Walter ha fallito. Trovano altre cose di cui parlare.

"Credo che ci vedremo stasera," dice Walter.

"Mm-hm," risponde Sally. Chi ha invitato Walter?

"Come *sta* Richard?" chiede Walter. Abbassa la testa goffamente, come un uccello, con reverenza, puntando il becco del berretto in basso, verso le cicche di sigarette e i cerchi grigi delle gomme da masticare, verso l'involucro arrotolato che, Sally non può fare a meno di notarlo, è di un hamburger Quarter Pounder. Non ha mai mangiato un Quarter Pounder.

Il semaforo cambia colore. Attraversano.

"Bene," dice Sally. "Malato."

"Che tempi," dice Walter. "Dio, che tempi."

Sally viene travolta, ancora, da un'ondata di indignazione che le sale dalla pancia e annebbia con il calore la sua vista. È la vanità di Walter che è insopportabile. È il sapere che, anche mentre dice cose corrette e rispettose – anche mentre magari *sente* cose corrette e rispettose – sta pensando allo stesso tempo a quanto sia bello essere il semifamoso romanziere Walter Hardy, amico di star del cinema e poeti, ancora in salute e muscoloso a più di quarant'anni. Sarebbe più comico se avesse meno influenza nel mondo.

"Bene," dice Sally sull'angolo opposto. Ma prima che possa andarsene, Walter si avvicina a una vetrina e si mette con il viso a pochi centimetri dal cristallo.

"Guarda queste," dice. "Sono belle."

Nella vetrina ci sono tre camicie di seta, ciascuna disposta su una riproduzione in plastica di una statua greca classica. Una è albicocca chiaro, un'altra verde smeraldo, la terza blu savoia. Ciascuna è differentemente ricamata sul collo e ha un filo sul davanti, sottile come la tela di un ragno. Tutte e tre pendono in maniera morbida, iridescente, sui torsi magri delle statue, e da ciascun collo emerge una serena testa bianca con labbra gonfie, naso dritto e occhi bianchi privi di espressione.

"Mm," dice Sally. "Sì, belle."

"Magari ne prendo una per Evan. Gli farebbe bene un regalo, oggi. Vieni."

Sally esita, segue Walter nel negozio, senza volerlo, senza poter fare a meno di essere spinta da un inatteso rimorso. Sì, Walter è ridicolo, ma insieme al suo disprezzo Sally sente una terribile e inevitabile tenerezza per quel povero coglione, che ha passato gli ultimi anni aspettando che il suo ragazzo bello e privo di cervello, il suo trofeo, morisse e adesso, improvvisamente, deve affrontare la prospettiva (è una cosa che lo sconcerta?) della sopravvivenza. Morte e resurrezione sono sempre affascinanti, pensa Sally, e non sembra conti molto se riguardano l'eroe, il cattivo o il pagliaccio.

Il negozio è tutto acero laccato e marmo nero. In qualche modo hanno fatto sì che odorasse leggermente di eucalipto. Le camicie sono ripiegate su lucidi scaffali neri.

"Credo che prenderò la blu," dice Walter mentre entrano. "Il blu è un colore che sta bene a Evan."

Sally lascia che Walter parli con il commesso, bello e giovane e con i capelli lisciati all'indietro. Si muove pensierosa tra le camicie, guarda il cartellino di una camicia color panna con i bottoni di madreperla. Costa quattrocento dollari. È patetico o eroico, pensa, comprare una camicia nuova favolosa, terribilmente costosa per il tuo amante che sta cercando di guarire? Forse tutt'e due? Lei stessa non ha mai imparato a comprare regali a Clarissa. Anche dopo tutti questi anni, non può mai essere sicura di quello che le piacerà. Ci sono stati successi – la sciarpa di cashmere color cioccolata del Natale scorso, la scatola antica laccata in cui tiene le sue lettere –, ma ci sono stati almeno altrettanti fallimenti. C'è stato lo strano orologio preso da Tiffany (troppo formale, pare), la valigetta di pelle nera (semplicemente sbagliata, impossibile dire perché). Clarissa rifiuta di ammettere quando un regalo non le piace, nonostante le esortazioni di Sally. Ogni regalo, secondo Clarissa, è perfettamente, esattamente quello che aveva sperato, e tutto ciò che lo sfortunato donatore può fare è aspettare di vedere se l'orologio sarà giudicato "troppo bello per metterlo tutti i giorni," o se la maglia verrà indossata una sola volta, a un'oscura festa, per non riapparire mai più. Sally comincia a essere arrabbiata con Clarissa, Walter Hardy e Oliver St.Ives, con ogni essere umano ottimista, che vive in maniera disonesta, ma poi lancia uno sguardo a Walter che sta comprando la camicia blu al suo amante, e invece si sente riempire di desiderio. Clarissa è probabilmente a casa in questo momento.

Improvvisamente, con urgenza, Sally vuole ritornare a casa. Dice a Walter: "Devo andare. È più tardi di quanto credessi."

"Non ci metterò molto," dice Walter.

"Devo andare. Ci vediamo più tardi."

"Ti piace la camicia?"

Sally tocca il tessuto, che è morbido e finemente granuloso, vagamente sensuale. "È bella," dice. "È una camicia meravigliosa."

Il commesso sorride grato, timidamente, come se fosse personalmente responsabile della bellezza della camicia. Non è distaccato o accondiscendente, come ci si aspetterebbe da un bel ragazzo che lavora in un negozio del genere. Da dove vengono queste impeccabili bellezze che lavorano come commessi? Cosa sperano?

"Sì," dice Walter. "È una bella camicia, vero?"

"Ciao."

"Ehi. Ci vediamo."

Sally esce dal negozio più in fretta che può, e si incammina verso la metropolitana alla Sixthy-Eight. Le piacerebbe tornare a casa con un regalo per Clarissa, ma non riesce a immaginare cosa. Le piacerebbe dire a Clarissa qualcosa, qualcosa di importante, ma non riesce a formulare mentalmente una frase. "Ti amo" è abbastanza facile. "Ti amo" è diventato quasi ordinario, visto che se lo dicono non solo agli anniversari e ai compleanni, ma spontaneamente, a letto o davanti al lavello della cucina, o anche nei taxi, nel raggio d'ascolto di tassisti stranieri che credono che le donne dovrebbero camminare tre passi dietro i loro mariti. Sally e Clarissa non sono avare di manifestazioni d'affetto, e questo naturalmente è un bene, ma adesso Sally pensa di voler ritornare a casa e dire qualcosa in più, qualcosa che sia non solo dolce e confortante, ma vada oltre la stessa passione. Ciò che vuole dire ha a che fare con tutte le persone che sono morte, ha a che fare con il suo senso di enorme fortuna e di imminente, devastante perdita. Se succede qualcosa a Clarissa, lei, Sally, continuerà a vivere, ma non sarà esattamente sopravvivere. Non starà bene. Ciò che vuole dire ha a che fare non solo con la gioia, ma con la penetrante, costante paura che è l'altra metà della gioia. Può sopportare il pensiero della sua stessa morte, ma non quello della morte di Clarissa. Questo loro amore, con la sua rassicurante quotidianità e i suoi silenzi facili, con la sua costanza, ha messo Sally direttamente sotto il giogo della macchina della mortalità. Ora c'è una perdita che va al di là di ogni immaginazione. Ora c'è un filo che può seguire da questo momento, mentre cammina verso la metropolitana all'Upper East Side, fino a domani e al giorno dopo e a quello dopo ancora, fino alla fine della sua vita e di quella di Clarissa.

Prende la metropolitana verso *downtown*, si ferma al banco dei fiori del minimarket coreano all'angolo. È il solito schieramento: garofani e crisantemi, una piccola quantità di gigli sparuti, fresie, margherite, mazzi di tulipani coltivati in serra, bianchi, gialli e rossi, i petali che diventano duri alle punte. Fiori zombie, pensa: solo prodotti, forzati a esistere come polli le cui zampe non toccano mai terra da quando sono uova a quando vengono macellati. Sally resta immobile, accigliata, di fronte ai fiori sulle loro piattaforme scalari di legno: vede se stessa e i fiori riflessi nel rivestimento a specchio sul retro del frigorifero (eccola, i capelli grigi, il volto indurito, giallognolo [come ha fatto a diventare così vecchia?], deve prendere più sole, davvero), e pensa che non c'è niente del mondo che voglia per se stessa o per Clarissa, non camicie da quattrocento dollari, non questi fiori pietosi, niente. Sta per andare via a mani vuote, quando nota un mazzo di rose gialle in un vaso di plastica marrone nell'angolo. Stanno appena cominciando ad aprirsi. I petali, alla base, sono soffusi di un giallo più intenso, quasi arancione, un rossore color del mango che sale in alto diffondendosi in vene sottili come capelli. Ricordano così tanto i fiori veri, nati dalla terra in un giardino, che sembrano finiti nel frigorifero per sbaglio. Sally li compra in fretta, quasi furtivamente, come se avesse paura che la donna coreana del negozio potesse accorgersi che c'è stato uno scambio e informarla, con aria seria, che queste rose non sono in vendita. Cammina lungo Tenth Street con le rose in mano, e si sente piena di gioia, e quando entra nell'appartamento è leggermente eccitata. Da quanto tempo non fanno sesso?

"Ehi," chiama. "Sei in casa?"

"Sono qui," risponde Clarissa, e Sally capisce dalla voce che c'è qualcosa di storto. Sta per cadere in una di quelle imboscate che ravvivano la loro vita insieme? È entrata, con il suo mazzo di fiori e il suo desiderio nascente, in una scena di malumore domestico, in cui il mondo è diventato grigio e morboso, perché lei ha rivelato ancora una volta il suo egoismo e ha lasciato qualcosa di non fatto, o ha dimenticato di pulire qualcosa, dimenticato qualche telefonata importante? La sua gioia sbiadisce; il desiderio si dissolve. Entra nel salotto con le rose.

"Che succede?" dice a Clarissa, che è seduta sul divano, semplicemente seduta lì, come se fosse nella sala d'attesa di un dottore. Lei osserva Sally con un'espressione singolare, più disorientata che colpita, come se non fosse sicura di chi è, e Sally per un momento fa l'esperienza dell'annuncio del declino che le aspetta. Se entrambe vivranno abbastanza a lungo, se resteranno insieme (e come potrebbero dividersi, dopo tutto questo?), si osserveranno avvizzire.

"Niente," dice lei.

"Stai bene?"

"Hm? Oh, sì. Non so. Louis è in città. È ritornato."

"Alla fine doveva succedere."

"È passato di qui, ha suonato il campanello. Abbiamo parlato per un po', e poi ha cominciato a piangere."

"Davvero?"

"Sì. All'improvviso, più o meno. Poi è arrivata Julia, e lui è andato via."

"Louis. È così."

"Sta uscendo con un nuovo ragazzo. Uno studente."

"Giusto. Bene."

"E poi Julia è rientrata con Mary."

"Mio Dio. Tutto il circo è passato di qui."

"Oh, Sally. Hai portato delle rose."

152

"Cosa? Oh, be', sì."

Sally agita le rose e, nello stesso momento, nota il vaso pieno di rose che Clarissa ha messo sul tavolo. Entrambe ridono.

"Questo è una specie di momento alla O. Henry, no?" dice Sally.

"Le rose non sono mai troppe," dice Clarissa.

Sally le porge le rose, e per un momento sono semplicemente e completamente felici. Ci sono, proprio adesso, e sono riuscite, in qualche modo, nel corso di diciotto anni, a continuare ad amarsi. È abbastanza. In questo momento è abbastanza.

La signora Brown

È più tardi di quanto lei volesse, ma non seriamente tardi: non tanto tardi da aver bisogno di una spiegazione. Sono quasi le sei. È arrivata a metà libro. Guidando verso casa della signora Latch, è piena di ciò che ha letto: Clarissa e il folle Septimus, i fiori, la festa. Immagini attraversano la sua mente: la figura nell'auto, l'aeroplano con il suo messaggio. Laura sta abitando una zona crepuscolare, un mondo composto da Londra negli anni venti, da una stanza d'albergo turchese e da questa automobile, che guida lungo questa strada familiare. È se stessa, e non è se stessa. È una donna a Londra, aristocratica, pallida e affascinante, un po' falsa: è Virginia Woolf, ed è quest'altra, questo essere agli inizi, barcollante, che porta il suo nome, una madre, una guidatrice d'auto, una striscia di vita turbinosa come la Via Lattea, un'amica di Kitty (che lei ha baciato, che potrebbe essere in punto di morte), un paio di mani con unghie color corallo (una è spezzata) e una fede nuziale con diamante che regge il volante di una Chevrolet mentre una Plymouth blu chiaro mostra gli stop appena davanti a lei, mentre il sole del tardo pomeriggio assume intensità dorate, mentre uno scoiattolo corre su un cavo telefonico, con la coda che è un punto interrogativo grigio chiaro.

Si ferma davanti alla casa della signora Latch, dove ci sono due scoiattoli di gesso colorato sul timpano del garage. Esce dall'auto e rimane lì per un momento, guardando in alto, verso gli scoiattoli, ancora con le chiavi dell'auto in mano. Accanto a lei, l'automobile emette uno strano suono ticchettante (è diversi giorni che lo fa, deve portarla dal meccanico). Viene presa da

154

una sensazione di "non-essenza": non c'è un'altra parola. Accanto alla sua macchina ticchettante, di fronte al garage della signora Latch (gli scoiattoli mandano lunghe ombre), lei è nessuno, è niente. Le sembra per un momento che andando all'albergo sia scivolata fuori dalla sua vita; questo vialetto e questo garage le sono completamente estranei. È stata via. Ha pensato con affetto, anche con desiderio, alla morte. Le viene in mente qui, sul vialetto della signora Latch, che ha pensato con desiderio alla morte. È andata in un albergo di nascosto, come sarebbe potuta andare a incontrare un amante. È immobile con le chiavi dell'auto e la borsa in mano, fissa il garage della signora Latch. La porta, dipinta di bianco, ha una piccola finestra con le ante verdi, come se il garage fosse una casa in miniatura attaccata alla casa più grande. Il respiro di Laura è improvvisamente affannoso. Ha un leggero senso di vertigine, sente che potrebbe vacillare e cadere sul vialetto di cemento liscio della signora Latch. Considera la possibilità di risalire in auto, e andare via di nuovo. Si sforza di andare avanti. Ricorda a se stessa: deve recuperare il figlio, portarlo a casa e finire di preparare la cena per il compleanno del marito. Deve fare queste cose ordinarie.

Con qualche sforzo, inspira e cammina fino al piccolo porticato della signora Latch. È la segretezza, pensa, la stranezza di ciò che ha appena fatto, anche se non c'è niente di male, no? Non sta incontrando un amante, come una moglie in un romanzo da quattro soldi. È semplicemente andata via per poche ore, ha letto il suo libro ed è tornata indietro. È un segreto solo perché non riesce a pensare a un modo di spiegarlo, di spiegare niente – il bacio, la torta, il momento di panico quando l'auto è arrivata in cima a Chavez Ravine. Certo non sa come potrebbe fare a spiegare due ore e mezza trascorse a leggere in una stanza a pagamento.

Inspira ancora. Schiaccia il campanello rettangolare, illuminato, della signora Latch, che manda una luce arancione nel sole del tardo pomeriggio.

La signora Latch apre la porta quasi immediatamente, come se fosse stata in piedi lì dietro, in attesa. La signora Latch è pro-

155

sperosa, con i fianchi enormi stretti nei bermuda, estremamente gentile; la sua casa è pervasa da un ricco odore marrone, una
specie di odore di carne arrosto, che si sprigiona dietro di lei
quando apre la porta.

"Salve," dice.

"Salve," risponde Laura. "Mi dispiace di aver fatto tardi."

"Per niente. Ci stiamo divertendo. Entri."

Richie arriva correndo dal salotto. È arrossato, allarmato, so-
praffatto dall'amore e dal sollievo. Laura ha la sensazione di
avere interrotto lui e la signora Latch mentre erano alle prese
con qualcosa, la sensazione che si siano entrambi fermati mentre stavano facendo qualcosa e abbiano in fretta nascosto qualche prova. No, è lei che si sente colpevole oggi, che si sente confusa. Il bambino ha trascorso le ultime ore completamente in
un altro regno. Restare a casa della signora Latch, anche solo
per poche ore, gli ha fatto perdere contatto con la sua vita. Ha
cominciato a credere, e non era una sensazione felice, di vivere
lì, di avere forse sempre vissuto lì, fra quei massicci mobili gialli, quelle pareti ricoperte di carta da parati verde erba.

Richie scoppia a piangere e corre verso di lei.

"Oh, be'," dice Laura, sollevandolo. Inspira il suo odore, la
sua intensa essenza, una pulizia profonda, indefinibile. Tenen-
dolo in braccio, inspirando, si sente meglio.

"È contento di vederla," dice la signora Latch, con un'allegria forzatamente calorosa, amara. Aveva davvero immaginato
di essere una gioia per lui, la sua preferita, e che la sua casa fosse la casa delle meraviglie? Sì, probabilmente sì. O ce l'ha improvvisamente con lui per essere un cocco di mamma? Probabilmente sì.

"Eccoti qua, microbo," dice Laura al piccolo orecchio rosa
del figlio. È fiera della sua calma materna, della sua affermazione sul bambino. È imbarazzata dalle lacrime di lui. La gente pensa che sia iperprotettiva? Perché lui lo fa così spesso?

"Ha fatto tutto?" chiede la signora Latch.

"Sì. Più o meno. Grazie davvero per avere badato a lui."

"Oh, ci siamo divertiti insieme," dice la donna, affettuosa e
arrabbiata. "Può portarmelo ogni volta che vuole."

"Vi siete divertiti?" chiede Laura.

"Uh-huh," dice Richie, le lacrime che diminuiscono. La sua faccia è la miniatura di una lotta disperata fra speranza, dolore e confusione.

"Hai fatto il bravo?"

Annuisce.

"Hai sentito la mia mancanza?"

"Sì!" dice.

"Be', avevo tante cose da fare. Vogliamo fare una bella festa di compleanno per il tuo papà, no?"

Annuisce. Continua a fissarla con sospetto, le lacrime agli occhi, turbato, come se quella che ha di fronte potesse non essere sua madre.

Laura paga la signora Latch, accetta un uccello del paradiso del suo giardino. La signora Latch offre sempre qualcosa – un fiore, dei biscotti –, come se fosse quello l'oggetto del pagamento e badare al bambino fosse gratis. Laura, scusandosi ancora per il ritardo, menzionando l'imminente arrivo del marito, taglia corto l'abituale conversazione che dura quindici minuti, mette Richie in auto e si allontana facendo un ultimo saluto con la mano, esageratamente allegro. I suoi tre braccialetti d'avorio fanno rumore tutti insieme.

Quando sono lontani da casa della signora Latch dice a Richie: "Ragazzo mio, siamo nei guai adesso. Dobbiamo correre dritto a casa e cominciare a preparare la cena. Avremmo dovuto essere lì un'ora fa."

Lui annuisce con solennità. Il peso e la consistenza della vita si riassestano; quella sensazione di essere nel mezzo del nulla svanisce. Questo momento, adesso, a metà strada, mentre l'automobile si avvicina a un segnale di stop, è inaspettatamente ampio e immobile, sereno. Laura entra in esso come potrebbe entrare in una chiesa da una strada rumorosa. Su entrambi i lati della strada alcuni spruzzatori lanciano brillanti coni di vapore sui prati. Il sole tardo indora un garage di alluminio. È indicibilmente vero. Si riconosce come moglie e madre, di nuovo incinta, di ritorno a casa, mentre veli d'acqua vengono lanciati nell'aria.

Richie non parla. La osserva. Laura frena per rispettare lo stop. Dice: "È un bene che papà lavori sempre fino a così tardi. Riusciremo a fare tutto in tempo, non credi?"

Lo guarda. Incrocia il suo sguardo, e vede qualcosa che non riesce proprio a riconoscere. I suoi occhi, il suo intero volto sembrano illuminati dall'interno; per la prima volta le sembra che soffra per un'emozione che lei non riesce a riconoscere.

"Tesoro," dice. "Che c'è?"

Lui dice, a voce più alta del necessario: "Mamma, ti amo."

C'è qualcosa di strano nella sua voce, qualcosa che fa paura. È un tono che lei non ha mai sentito prima da lui. Sembra affannato, estraneo. Potrebbe essere un profugo, qualcuno che parla un inglese solo approssimativo, che cerca disperatamente di esprimere un bisogno per il quale non ha imparato l'espressione giusta.

"Ti amo anch'io," ribatte lei, e anche se ha detto quelle parole migliaia di volte, riesce a sentire il nervosismo teso della sua gola, lo sforzo che deve fare per apparire naturale. Accelera all'incrocio. Guida con attenzione, entrambe le mani perfettamente centrate sul volante.

Le sembra che il bambino potrebbe piangere di nuovo, come fa così spesso, così inspiegabilmente, ma i suoi occhi rimangono chiari e asciutti, non batte le palpebre.

"Che c'è che non va?"

Continua a guardarla. Non batte le palpebre.

Lo sa. Deve saperlo. Il bambino riesce a capire che è stata in qualche posto illecito. Riesce a capire che sta mentendo: la guarda in continuazione, trascorre quasi ogni ora in sua presenza: l'ha vista con Kitty. L'ha vista preparare una seconda torta, e nascondere la prima sotto altra spazzatura nel secchio. Si dedica interamente a osservarla e decifrarla, perché senza di lei il mondo non esiste.

È ovvio che sa se mente.

Dice: "Non preoccuparti, tesoro. Va tutto bene. Faremo una festa meravigliosa per il compleanno di papà, stasera. Sai come sarà contento? Abbiamo tutti quei regali per lui. Gli abbiamo fatto una torta così bella."

Richie annuisce, senza battere le palpebre. Si muove piano avanti e indietro. A voce bassa, come se non volesse essere veramente ascoltato, ma sentito solo per caso, dice: "Sì, gli abbiamo fatto una torta così bella." C'è una falsità sorprendentemente matura nella sua voce.

La osserverà per sempre; saprà sempre quando c'è qualcosa di sbagliato. Saprà precisamente quando e quanto lei abbia sbagliato.

"Ti amo, tesoro," dice. "Sei il mio bambino." Brevemente, per un momento, il bambino cambia forma: per un momento si illumina, completamente bianco. Laura riesce a non arrabbiarsi. Si ricorda di sorridere. Tiene entrambe le mani sul volante.

La signora Dalloway

È venuta ad aiutare Richard a prepararsi per la festa, ma Richard non risponde quando bussa alla porta. Bussa ancora, più forte; poi velocemente, nervosamente, apre la porta.

L'appartamento è pieno di luce. Clarissa quasi resta senza fiato sulla soglia. Tutti gli scuri sono stati sollevati, le finestre aperte. Sebbene l'aria sia piena solo dell'ordinaria luce del giorno che entra in ogni appartamento in un pomeriggio assolato, fa l'effetto, nelle stanze di Richard, di un'esplosione silenziosa. Ecco le scatole di cartone, la vasca da bagno (più sporca di quanto avesse creduto), lo specchio impolverato e la caffettiera costosa, tutti gli oggetti svelati nel loro vero pathos, nella loro ordinaria piccolezza. È, molto semplicemente, l'appartamento di una persona squilibrata.

"Richard!" chiama Clarissa.

"Signora Dalloway. Oh, signora Dalloway, sei tu."

Clarissa corre nell'altra stanza e trova Richard ancora con la vestaglia, appollaiato sul davanzale della finestra, a cavalcioni, con una gamba emaciata ancora nell'appartamento e l'altra, a lei invisibile, sospesa a un'altezza di cinque piani.

"Richard," dice dura. "Scendi da lì."

"È meraviglioso fuori," dice. "Che giornata."

Ha l'aspetto di un folle, di un esaltato, insieme anziano e infantile, a cavalcioni del davanzale come uno spaventapasseri equestre, una statua di Giacometti che potrebbe stare in un parco. I capelli sono aderenti al cuoio capelluto in alcuni punti; in altri sono ritti in angoli acuti, bizzarri. La gamba che sta all'interno, nuda fino a metà coscia, bianca e blu, è scheletrica, ma con un piccolo pugno sorprendentemente solido di muscolo al polpaccio, che ancora rimane ostinatamente attaccato all'osso.

"Mi stai spaventando," dice Clarissa. "Voglio che la smetti e vieni dentro. Adesso."

Si muove verso di lui, e lui solleva la gamba interna sopra il davanzale. Solo il tallone di quel piede, una mano e un gluteo senza carne rimangono in contatto con il legno rovinato. Sulla sua vestaglia, razzi con le ali rosse lanciano perfette pigne arancione di fuoco. Astronauti con i caschi, paffuti e bianchi come l'Uniroyal Man, senza volto dietro i visori scuri, salutano rigidamente, con i guanti bianchi.

Richard dice: "Ho preso lo Xanax *e* il Ritalin. Funzionano a meraviglia insieme. Mi sento benissimo. Ho sollevato gli scuri, ma ho capito che comunque volevo più aria e più luce. È stata dura arrivare fin qui, non mi vergogno a dirtelo."

"Tesoro, per favore, rimetti la gamba sul pavimento. Vuoi farlo per me?"

"Non credo di farcela a venire alla festa," dice. "Mi dispiace."

"Non devi. Non devi fare niente che tu non voglia."

"Che giornata. Che bella giornata, proprio bella."

Clarissa prende un respiro, poi un altro. È sorprendentemente calma – sa che sta agendo bene in una situazione difficile –, ma allo stesso tempo è distaccata da se stessa, dalla stanza, come se stesse assistendo a qualcosa che è già accaduto. Sembra un ricordo. Qualcosa dentro di lei, qualcosa come una voce, ma non una vera voce, una conoscenza interiore indistinguibile dal battito del suo cuore, dice: *"Una volta ho trovato Richard seduto sul davanzale di una finestra a cinque piani dal suolo."*

Dice: "Scendi *giù* da lì. Per favore."

Il volto di Richard si scurisce e si contrae, come se Clarissa gli avesse posto una domanda difficile. La sua poltrona vuota, completamente investita dalla luce del giorno – che perde imbottitura dalle cuciture, con il leggero asciugamano giallo con i segni circolari arrugginiti – potrebbe essere la follia stessa, l'essenziale materiale di scarto della malattia mortale.

"Scendi da lì," dice Clarissa. Parla adagio e a voce alta, come se si rivolgesse a uno straniero.

Richard annuisce e non si muove. La sua testa devastata, battuta dalla luce del giorno, è geologica. La sua carne è raggrinzita e piena di cicatrici, percorsa da solchi, come una pietra del deserto.

Dice: "Non so se posso affrontarlo, sai. La festa e la cerimonia, e poi l'ora dopo e l'ora dopo ancora.".

"Non devi andare alla festa. Non devi andare alla cerimonia. Non devi far niente."

"Ma ci sono ancora le ore, no? Una e poi un'altra, passi una e poi, mio Dio, dopo c'è l'altra. Sono così malato."

"Hai ancora delle giornate buone. Lo sai che è così."

"Non veramente. È gentile da parte tua dire così, ma è un po' di tempo che lo sento, che si chiude intorno a me come la bocca di un fiore gigantesco. Non è un'analogia peculiare? È così che sembra, però. Ha una certa inevitabilità vegetale. Pensa alle piante carnivore. Pensa ai kudzu capaci di soffocare una foresta. È una specie di progresso succoso, verde, rigoglioso. Che spinge verso... Be', lo sai. Il silenzio verde. Non è buffo che anche adesso sia difficile dire la parola 'morte'?"

"Ci sono loro, Richard?"

"Chi? Oh, le voci? Le voci sono sempre qui."

"Le stai sentendo molto distintamente?"

"No, sto sentendo te. È sempre meraviglioso stare ad ascoltarti, signora D. Ti dispiace che ti chiami ancora così?"

"Per niente. Vieni dentro. Adesso."

"Ti ricordi di lei? Il tuo alter ego. Che cosa ne è stato?"

"Questa è lei. Io sono lei. Voglio che tu venga dentro. Vuoi venire, per favore?"

"È così bello, qui. Mi sento così libero. Chiamerai mia madre? È sola, sai?"

"Richard..."

"Raccontami una storia, va bene?"

"Che tipo di storia?"

"Qualcosa della tua giornata. Di oggi. Anche la cosa più ordinaria. Anzi sarebbe meglio, in realtà. La cosa più ordinaria a cui riesci a pensare."

"Richard..."

"Qualsiasi cosa. Qualsiasi."

"Allora, stamattina, prima di venire qui sono andata a comprare dei fiori per la festa."

"Davvero?"

"Sì. Era una bella mattina."

"Sì?"

"Sì, era bella. Così... fresca. Ho comprato i fiori, li ho portati a casa e li ho messi in un vaso. Ecco. Fine della storia. Adesso vieni dentro."

"Fresca come pensata per dei bambini su una spiaggia," dice Richard.

"Sì, si può dire così."

"Come una mattina quando eravamo giovani insieme."

"Sì. Così."

"Come la mattina in cui sei uscita da quella vecchia casa, quando avevi diciott'anni e io, allora, ne avevo appena compiuti diciannove, no? Avevo diciannove anni ed ero innamorato di Louis, ed ero innamorato di te, e pensavo che non avrei assistito mai più a niente di così bello come la visione di voi due che uscivate da una porta a vetri nella prima mattina, ancora insonnoliti, con la biancheria intima addosso. Non è strano?"

"Sì," dice Clarissa. "Sì, è strano."

"Ho fallito."

"Smettila. Non hai fallito."

"Sì, invece. Non sto cercando simpatia. Davvero, no. Mi sento solo così triste. Quello che volevo fare sembrava semplice. Volevo creare qualcosa di abbastanza vivo e scioccante, e accostarlo a una mattina nella vita di una persona. La mattina più ordinaria. Pensa un po', cercare di farlo. Che follia."

"Non è per niente folle."

"Temo di non farcela a venire alla festa."

"Per piacere, per piacere, non preoccuparti della festa. Non pensare alla festa. Dammi la mano."

"Sei stata così buona con me, signora Dalloway."

"Richard..."

"Ti amo. Suona banale?"

"No."

Richard sorride. Scuote la testa. Dice: "Non credo che due persone avrebbero potuto essere più felici di quanto siamo stati noi."

Si china leggermente in avanti, scivola dolcemente dal davanzale e cade.

Clarissa grida: "No..."

Sembra tutto così tranquillo, così sereno, che per un momento immagina che non sia affatto accaduto. Arriva alla finestra in tempo per vedere Richard ancora in volo, la vestaglia che si gonfia, e anche adesso sembra che potrebbe trattarsi di un incidente secondario, qualcosa di superabile. Lo vede toccare il suolo cinque piani più in basso, lo vede inginocchiarsi sul cemento, vede la testa che batte, sente il suono che fa e ancora crede, almeno per un momento, sporgendosi dal davanzale, che si alzerà di nuovo, malfermo magari, senza fiato. Ma ancora lui, ancora intero, ancora in grado di parlare.

Lo chiama, una volta. Il suo nome viene fuori come una domanda, molto più basso di quanto lei volesse. Rimane dov'è caduto, a faccia in giù, la vestaglia sulla testa e le gambe nude esposte, bianche contro il cemento scuro.

Esce di corsa dalla stanza, dalla porta, che lascia aperta dietro di sé. Corre giù per le scale. Pensa di chiedere aiuto, ma non lo fa. L'aria stessa sembra essere cambiata, sembra essere andata in pezzi, come se l'atmosfera fosse sensibilmente composta di materia e del suo opposto. Corre giù per le scale e si rende conto (di questo si vergognerà più tardi) di se stessa, di essere una donna che corre giù per una rampa di scale, sana, ancora viva.

Nell'ingresso supera un momento di confusione per raggiungere il condotto dell'aria dove giace Richard e sente, per un momento, di essere arrivata all'inferno. L'inferno è una stanza squadrata, come una scatola color giallo, rancido, senza uscite, ombreggiata da un albero artificiale, chiusa da porte di metallo sfregiate (una ha una decalcomania dei Grateful Dead, un teschio coronato di rose).

Una porta nel sottoscala, più piccola delle altre, conduce fuori, giù per una rampa di scalini di cemento rotti, al posto dove è Richard. Sa anche prima di scendere queste ultime scale che è morto. La sua testa è nascosta dalle pieghe della vestaglia, ma riesce a distinguere la pozza di sangue scuro, quasi nero, che si è formata dove dev'essere la sua testa. Riesce a vedere la completa immobilità del suo corpo, un braccio disposto in un angolo strano, la palma della mano rivolta all'insù, ed entrambe le gambe scoperte, bianche e nude come la morte stessa. Porta ancora le pantofole grigie di felpa che lei gli ha comprato.

Scende gli ultimi gradini, vede che Richard è steso fra schegge di vetro, e le ci vuole un momento per capire che sono solo i resti di una bottiglia di birra rotta che già erano sul cemento, e non una conseguenza della caduta di Richard. Pensa di doverlo sollevare immediatamente, liberarlo dal vetro.

Si inginocchia accanto a lui, gli mette una mano sulla spalla inerte. Gentilmente, con molta delicatezza, come se avesse paura di svegliarlo, tira giù la vestaglia dalla sua testa. Tutto ciò che riesce a distinguere nella scintillante massa di rosso, viola e bianco sono le sue labbra aperte e un occhio sbarrato. Realizza di aver emesso un suono, un'esclamazione acuta di sorpresa e dolore. Gli copre di nuovo la testa con la vestaglia.

Rimane inginocchiata accanto a lui, incerta su cosa fare. Gli mette di nuovo la mano sulla spalla. Non lo muove; semplicemente poggia la mano lì. Dice a se stessa che dovrebbe chiamare la polizia, ma non vuole lasciare Richard solo. Aspetta che qualcuno la veda. Guarda in su la fila ascendente di finestre, la biancheria stesa, il quadrato perfetto del cielo diviso in due dalla sottile lama bianca e blu di una nuvola, e comincia a capire che nessuno sa ancora. Nessuno ha visto Richard cadere.

Non si muove. Individua la finestra della donna anziana, con le sue tre statuine di ceramica (invisibili da laggiù). La donna dev'essere a casa, non esce quasi mai. Clarissa sente l'impulso di urlare verso di lei, come se fosse una specie di membro della famiglia, come se dovesse essere informata. Clarissa rimanda, almeno per un minuto o due, l'inevitabile movimento successivo. Rimane con Richard, a toccargli la spalla. Si sente (e ne è stupefatta) leggermente imbarazzata per quello che è successo.

165

Si chiede perché non pianga. Sente il suono del suo respiro. Si accorge delle pantofole ancora ai piedi di Richard, del cielo che si riflette nella pozza di sangue che si allarga.

Finisce qui, su una piattaforma di cemento, sotto i panni stesi ad asciugare, fra schegge di vetro. Fa scorrere la mano, dolcemente, giù dalla sua spalla lungo la fragile curva della schiena. Con aria colpevole, come se stesse facendo qualcosa di proibito, si china e poggia la fronte sulla sua spina dorsale, mentre è ancora, in un certo senso, la sua, mentre lui è ancora, in un certo senso, Richard Worthington Brown. Sente l'odore della flanella sporca della vestaglia, quello acuto della sua carne non lavata, che le ricorda il vino. Le piacerebbe parlargli, ma non ci riesce. Poggia solo la testa, leggermente, sulla sua schiena. Se fosse capace di parlare, direbbe qualcosa – non sa dire cosa, esattamente – su come lui abbia avuto il coraggio di creare e come, cosa forse più importante, abbia avuto il coraggio di amare in maniera singolare, nel corso dei decenni, contro ogni ragione. Gli direbbe come lei stessa, Clarissa, lo amasse a sua volta, lo amasse enormemente, pur lasciandolo a un angolo di strada più di trent'anni prima (e, davvero, cos'altro avrebbe potuto fare?). Confesserebbe il suo desiderio di una vita ordinaria (né più né meno di ciò che desidera la maggior parte della gente), e come lei volesse che lui venisse alla sua festa e mostrasse il suo amore per lei di fronte agli invitati. Chiederebbe perdono per la timidezza a causa della quale non lo ha baciato sulle labbra, il giorno che si sarebbe rivelato come quello della sua morte, e per essersi detta che lo faceva solo per il bene di lui.

La signora Brown

Le candele vengono accese. La canzone viene cantata. Dan, soffiando sulle candeline, spruzza delle piccole gocce di saliva chiara sulla superficie uniforme della glassa. Laura batte le mani e, dopo un momento, Richie la segue.

"Buon compleanno, tesoro," dice.

Uno scatto di rabbia esplode inaspettato, le si ferma nella gola. È rozzo, grossolano, stupido; ha sputato sulla torta. E lei è intrappolata qui per sempre, a fare la moglie. Deve affrontare questa notte, e poi domani mattina, e poi un'altra notte qui, in queste stanze, senza avere nessun altro posto dove andare. Deve risultare gradita; deve continuare.

Potrebbe essere come camminare in un campo di neve brillante. Potrebbe essere spaventoso e meraviglioso. *Pensavamo che i suoi dolori fossero dolori ordinari; non avevamo idea.*

La rabbia passa. Va tutto bene, si dice. Va tutto bene. Ricomponiti, per amor del cielo.

Dan le cinge la vita con un braccio. Laura sente la sua solidità carnosa, profumata. Le dispiace. È conscia, più che mai, della sua bontà.

Dice: "È grandioso. È perfetto."

Lei gli accarezza la nuca. I suoi capelli sono unti di Vitalis, leggermente spessi, come una pelle di lontra. La sua faccia ispida ha una lucentezza sudata, e i suoi capelli ben curati appaiono ora lisci tanto da produrre un singolo ciuffo oleoso, più o meno della larghezza di un filo d'erba, che scende fino a raggiungere un punto fra le sopracciglia. Si è tolto la cravatta, ha sbottonato la camicia; trasuda un'essenza complessa, composta

167

di sudore, Old Spice, pellame delle sue scarpe e dell'ineffabile, profondo odore familiare della sua carne – un odore con elementi di ferro, elementi di candeggina e il remoto olezzo della cucina, come se dentro di lui stessero friggendo qualcosa di umido e grasso.

Laura dice a Richie: "Hai espresso un desiderio anche tu?"

Lui annuisce, anche se l'idea non gli era venuta in mente. Sembra che stia sempre a esprimere desideri, e che i suoi desideri, come quelli di suo padre, abbiano soprattutto a che fare con il mantenimento dello stato di cose. Come suo padre, ciò che vuole più ardentemente è ancora di più di quello che ha già (sebbene, ovviamente, se gli si chiedesse della natura dei suoi desideri lui snocciolerebbe subito una lunga lista di giocattoli, sia veri che immaginari). Come suo padre avverte che altre cose di questo genere sono precisamente ciò che potrebbero non avere mai.

"Vorresti aiutarmi a tagliare la torta?" dice suo padre.

"Sì," risponde Richie.

Laura porta piatti da dolce e forchette dalla cucina. Eccola, in questa modesta sala da pranzo, al sicuro, con suo marito e suo figlio, mentre Kitty è stesa in una stanza d'ospedale e aspetta di sapere cosa hanno trovato i dottori. Eccola, questa famiglia, in questo posto. Nella loro strada, più in giù e più in su, in una moltitudine di strade, più in su e più in giù, le finestre brillano. Una moltitudine di cene viene servita; vengono narrate le vittorie e le sconfitte di una moltitudine di giorni.

Mentre Laura sistema i piatti e le forchette sulla tavola – mentre fanno un debole suono sulla tovaglia bianca inamidata – sembra che ce l'abbia fatta: improvvisamente, all'ultimo minuto, come un pittore potrebbe dare la pennellata finale di colore a un dipinto e salvarlo dall'incoerenza, come uno scrittore potrebbe mettere giù la frase che porta alla luce i disegni nascosti e la simmetria nel suo dramma. Ha a che fare con il disporre piatti e forchette su una tovaglia bianca. È lampante quanto inaspettato.

Dan lascia che Richie tolga le candeline spente prima di guidare la mano del figlio mentre taglia la torta. Laura osserva. La sala da pranzo sembra, proprio adesso, la sala da pranzo più perfetta fra quelle immaginabili, con le sue pareti verde cupo e la credenza di acero scuro che contiene il tesoro di argenti regalato per il matrimonio. La stanza sembra piena quasi all'inverosimile: piena delle vite di suo marito e di suo figlio, piena del futuro. Straripa, brilla. Molta parte del mondo, interi paesi, è stata decimata, ma una forza che si presenta come il bene ha prevalso; anche Kitty, le sembra, guarirà grazie alla scienza medica. Sarà salvata. E se non è così, se non c'è speranza di aiutarla, Dan e Laura e il loro bambino e la promessa del secondo bambino saranno tutti ancora qui, in questa stanza, dove un bambino aggrotta la fronte per la concentrazione che richiede lo sforzo di togliere le candele e dove il padre gliene avvicina una alla bocca e lo invita a leccare la glassa.

Laura legge il momento mentre passa. Ecco, pensa, ora è qui, ora se ne va. La pagina sta per essere girata.

Sorride a suo figlio, serenamente, da lontano. Lui ricambia il sorriso. Lecca l'estremità della candela. Esprime un altro desiderio.

La signora Woolf

Cerca di concentrarsi sul libro che ha in grembo. Presto lei e Leonard lasceranno Hogarth House e si trasferiranno a Londra. È stato deciso. Virginia ha vinto. Si sforza di concentrarsi. Gli avanzi di manzo non sono più avanzati; la tavola è stata pulita, i piatti lavati.

Andrà a teatro, e ai concerti. Andrà a feste. Girerà per le strade, vedrà tutto, si lascerà riempire di storie.

... la vita, Londra...

Scriverà e scriverà ancora. Finirà questo libro e ne scriverà un altro. Rimarrà sana e vivrà com'era destinato che vivesse: in maniera ricca e profonda, fra altri come lei, nel pieno possesso e nel pieno controllo delle sue facoltà.

Pensa, improvvisamente, al bacio di Vanessa.

Il bacio era innocente – abbastanza innocente –, ma era anche pieno di qualcosa non dissimile da ciò che Virginia vuole da Londra, dalla vita: era pieno di un amore complesso e famelico, antico, né questo né quello. Serve come esempio pomeridiano del mistero più grande; ha l'elusiva brillantezza che scaturisce dall'incisività di certi sogni, la brillantezza che, quando ci svegliamo, sta già scivolando via dalle nostre menti, e che ci sforziamo di snidare, nella speranza di trovare, forse oggi, questo nuovo giorno in cui potrebbe accadere qualsiasi cosa, proprio qualsiasi cosa. Lei, Virginia, ha baciato sua sorella, non in maniera completamente innocente, dietro le spalle ampie e incupite di Nelly, e adesso è in una stanza con un libro in grembo. È una donna che si trasferirà a Londra.

Clarissa Dalloway dovrà aver amato una donna: sì, un'altra

donna, quando era giovane. Lei e la donna si saranno date un bacio, un solo bacio, come il bacio incantato delle favole, e Clarissa serberà il ricordo di quel bacio, la speranza che portava, per tutta la vita. Non troverà mai più un amore come quello che quel bacio solitario sembrava offrirle.

Virginia, eccitata, si alza dalla poltrona e posa il libro sul tavolo. Dalla sua poltrona, Leonard chiede: "Vai a letto?"

"No. È presto, no?"

Lui guarda l'orologio. "Sono quasi le dieci e trenta," dice.

"Sono solo irrequieta. Non sono ancora stanca."

"Mi farebbe piacere che tu andassi a letto alle undici," dice.

Lei annuisce. Si comporterà bene, adesso che hanno deciso per Londra. Lascia il salotto, attraversa l'ingresso ed entra nella sala da pranzo buia. Lunghi rettangoli di luce lunare mischiata alla luce della strada battono dalla finestra sulla copertura del tavolo, vengono spazzati via dai rami mossi dal vento, riappaiono e vengono di nuovo spazzati via. Virginia resta sulla soglia a guardare le forme che cambiano come potrebbe guardare le onde che si rompono sulla spiaggia. Sì, Clarissa deve aver amato una donna. Clarissa deve aver baciato una donna, solo una volta. Clarissa sarà privata della felicità, profondamente sola, ma non morirà. Amerà troppo la vita, Londra. Virginia immagina qualcun altro: sì, qualcuno dal corpo forte ma dalla mente fragile; qualcuno con un tocco di genio, di poesia, investito dalle ruote del mondo, dalla guerra e dal governo, dai dottori; qualcuno che è, tecnicamente parlando, folle, perché vede significati dappertutto, sa che gli alberi sono esseri sensibili e che i passeri cantano in greco. Sì, qualcuno così. Clarissa, sana di mente, Clarissa – gioiosa, ordinaria Clarissa – andrà avanti, amando Londra, amando la sua vita di piaceri comuni, e qualcun altro, un poeta squilibrato, un visionario, morirà.

La signora Brown

Finisce di lavarsi i denti. I piatti sono stati lavati e riposti. Richie è a letto, suo marito sta aspettando. Sciacqua lo spazzolino sotto l'acqua; si sciacqua la bocca, sputa nel lavandino. Suo marito sarà dal suo lato del letto, a guardare il soffitto con le mani intrecciate dietro la nuca. Quando lei entrerà nella stanza, la guarderà come se fosse sorpreso e felice di vederla qui: sua moglie, fra tutte, che sta per togliersi la vestaglia, appoggiarla sulla poltrona e raggiungerlo a letto. Questo è il suo modo – una sorpresa adolescenziale; un'allegria vaga, leggermente sconcertata; un'innocenza profonda e distratta con dentro il sesso, avvitato a spirale, come una molla. Pensa qualche volta, non riesce a farne a meno, a quei barattoli di noccioline che vendono nei negozi di oggettistica, quelli con i serpenti di carta che aspettano di sbucare fuori quando si apre il coperchio. Stasera non si legge.

Mette lo spazzolino al suo posto, nel contenitore di porcellana.

Quando guarda nello specchio dell'armadietto dei medicinali, crede per un momento di vedere qualcuno dietro di lei. Non c'è nessuno, ovviamente: è solo uno scherzo della luce. Per un istante, non di più, aveva immaginato una specie di fantasma di sé, una sua seconda versione, in piedi immediatamente dietro di lei, a guardare. Non è niente. Apre l'armadietto dei medicinali, ripone il dentifricio. Qui, sui ripiani di vetro, ci sono le varie lozioni e gli spray, le bende e gli unguenti, le medicine. Qui c'è il flacone di plastica con le pillole per dormire. Questa boccetta, rifornita più recentemente delle altre, è quasi piena – non può usarle, ovviamente, mentre aspetta il bambino.

Prende la boccetta dal ripiano, la avvicina alla luce. Ci sono almeno trenta pillole dentro, forse di più. La rimette sul ripiano.

Sarebbe semplice come prendere una stanza in un albergo. Semplice così. Pensa a quanto sarebbe meraviglioso non avere più preoccupazioni. Pensa a quanto sarebbe meraviglioso non preoccuparsi più, o combattere, o fallire. E se quel momento a cena – l'equilibrio, quella piccola perfezione – fosse abbastanza? E se decidessi di non volerne ancora?

Chiude la porta dell'armadietto dei medicinali, che si blocca con un solido, perfetto *click* metallico. Pensa a tutto ciò che c'è nell'armadietto, sui ripiani, ora al buio. Va nella stanza da letto, dove suo marito sta aspettando. Si toglie la vestaglia.

"Ciao," dice lui con fiducia, teneramente, dal suo lato del letto. "Hai passato un bel compleanno?"

"Il più bello di tutti." Scosta le lenzuola per lei, ma lei esita, in piedi, accanto al letto, con la sua camicia da notte blu trasparente. Le sembra di non riuscire a sentire il suo corpo, anche se sa che è lì.

"Bene," dice lei. "Sono contenta che ti sia piaciuto."

"Vieni a letto?" dice lui.

"Sì," risponde lei, e non si muove. Potrebbe in questo momento non essere altro che un'intelligenza fluttuante, neanche un cervello dentro un cranio, solo una presenza che percepisce, come un fantasma. Sì, pensa, è probabilmente così che si deve sentire un fantasma. È come leggere – la stessa sensazione di conoscere le persone, gli ambienti, le situazioni, senza interpretare nessuna parte in particolare, tranne quella dell'osservatore obbediente.

"Allora," dice Dan, dopo un po', "vieni a letto?"

"Sì," dice lei.

Lontano, sente un cane abbaiare.

La signora Dalloway

Clarissa mette la mano sulla spalla dell'anziana signora, come per prepararla a qualche ulteriore shock. Sally, che le ha precedute lungo il corridoio, apre la porta.

"Eccoci," dice Clarissa.

"Sì," replica Laura.

Quando entrano nell'appartamento, Clarissa vede con sollievo che Julia ha messo via gli antipasti. I fiori, ovviamente, ci sono ancora – brillanti e innocenti, esplodono dai vasi in profusioni generose e casuali, perché a Clarissa non piace quando appaiono troppo sistemati. Preferisce che i fiori sembrino appena arrivati, a bracciate, dai campi.

Accanto a un vaso pieno di rose, Julia dorme sul divano con un libro aperto in grembo. Se ne sta seduta nel sonno con un'aria di sorprendente dignità, anche di autorità, decisa, con le spalle rilassate ed entrambi i piedi sul pavimento, la testa reclinata discretamente in avanti, come se stesse pregando. In questo momento potrebbe essere una divinità minore scesa dal cielo per badare alle ansie dei mortali, scesa per sedere con sicurezza austera e amorevole e per sussurrare, nel suo stato di trance, a quelli che entrano: "Va tutto bene, non abbiate paura. Tutto ciò che dovete fare è morire."

"Siamo ritornate," dice Sally.

Julia si sveglia, batte le palpebre e si alza in piedi. L'incantesimo è rotto: Julia è di nuovo una ragazza. Sally attraversa la stanza, sfilandosi la giacca mentre cammina, e c'è come una breve immagine di Clarissa e dell'anziana donna che stanno in piedi in un'anticamera, esitanti, che si tolgono con cura i guanti, anche se non c'è nessuna anticamera e non portano guanti.

Clarissa dice: "Julia, lei è Laura Brown."

Julia fa un passo in avanti, si ferma a una distanza rispettosa da Laura e Clarissa. Dove ha preso una tale compostezza e presenza, si chiede Clarissa. È ancora una ragazza.

"Mi dispiace tanto," dice Julia.

Laura dice: "Grazie", con una voce più chiara e ferma di quanto Clarissa si aspettasse.

Laura è una donna alta, leggermente curva, di ottant'anni o più. I suoi capelli sono di un grigio brillante, come l'acciaio; la sua pelle è quasi trasparente, del colore della pergamena, cosparsa di lentiggini grandi come capocchie di spillo. Porta un vestito scuro a fiori e vecchie scarpe da signora morbide e crespe.

Clarissa la esorta ad andare avanti, nella sua stanza. C'è un momento di silenzio. E dal silenzio emerge la sensazione che Clarissa, Sally e anche Laura sono arrivate, nervose e agitate, senza conoscere nessuno e non vestite particolarmente bene, a una festa data da Julia.

"Grazie per avere pulito, Julia," dice Sally.

"Ho raggiunto quasi tutti quelli della lista," dice Julia. "Un po' di persone si sono presentate. Louis Waters."

"Oh Dio. Non ha avuto il mio messaggio."

"E poi due donne: non ricordo i loro nomi. E qualcun altro, un uomo di colore: Gerry qualcosa."

"Gerry Jarman," dice Clarissa. "È stato molto terribile?"

"Gerry Jarman sembrava a posto. Louis ha avuto una specie di crollo. È rimasto quasi un'ora. Ho parlato a lungo con lui. Mi sembrava che stesse meglio quando è andato via. Un po' meglio."

"Mi dispiace, Julia. Mi dispiace che hai dovuto affrontare tutto questo."

"È andata bene. Per favore, non preoccuparti per me."

Clarissa annuisce. Dice a Laura: "Lei dev'essere esausta."

"Non sono tanto sicura di come mi sento," dice Laura.

"Per favore, si sieda," dice Clarissa. "Crede di poter mangiare qualcosa?"

"Oh, no. Grazie."

Clarissa guida Laura verso il divano. Laura si siede grata, ma con cautela, come se fosse stanca, ma non fosse certa che il divano è veramente stabile.

Julia arriva accanto a Laura, si china al suo orecchio.

"Ti faccio una tazza di tè," dice. "O vuoi un caffè? O un brandy?"

"Una tazza di tè va bene. Grazie."

"Anche tu dovresti mangiare qualcosa," dice Julia. "Scommetto che non hai mangiato da quando sei uscita di casa, vero?"

"Be'..."

Julia dice: "Prendo solo qualcosa dalla cucina."

"Sei molto gentile, cara," dice Laura.

Julia lancia uno sguardo a Clarissa. "Mamma," dice, "resta qui con la signora Brown. Sally e io andiamo a vedere cosa c'è."

"Bene," dice Clarissa. Si siede accanto a Laura sul divano. Fa semplicemente ciò che sua figlia le dice di fare, e in questo trova un sollievo sorprendente. Forse, pensa, uno potrebbe cominciare a morire così: le indicazioni di una figlia diventata grande, le comodità di una stanza. È l'età. Sono le piccole consolazioni: la lampada e il libro. È il mondo, sempre più controllato da persone che non sono te, che faranno bene o male, che non ti guardano quando cammini in strada.

Sally dice a Clarissa: "Sarebbe strano, troppo morboso, mangiare le cose preparate per la festa? È ancora tutto qui."

"Non credo," dice Clarissa. "Credo che Richard, probabilmente, lo avrebbe apprezzato."

Guarda nervosamente Laura. Laura sorride, si stringe nelle braccia, sembra vedere qualcosa sulla punta delle sue scarpe.

"Sì," dice Laura. "Credo che lo avrebbe sicuramente apprezzato."

"Bene, allora," dice Sally. Lei e Julia vanno in cucina.

Secondo l'orologio, è mezzanotte e dieci. Laura sta seduta con un contegno affettato, le labbra serrate, gli occhi chiusi a metà. Clarissa pensa che stia solo aspettando che quest'ora passi. Sta aspettando di poter essere a letto da sola.

Clarissa dice: "Può andare dritta a letto, se vuole, Laura. La stanza degli ospiti è proprio in fondo al corridoio."

"Grazie," dice Laura. "Lo farò, tra qualche minuto."

Si adagiano in un altro silenzio, un silenzio che non è né intimo né particolarmente imbarazzante. Eccola, allora, pensa Clarissa: ecco la donna delle poesie di Richard. La madre perduta, la suicida mancata; la donna che se n'è andata. È insieme scioccante e consolante che un tale personaggio possa rivelarsi, nei fatti, una comune donna anziana seduta su un divano con le mani in grembo.

Clarissa dice: "Richard era un uomo meraviglioso."

Se ne pente immediatamente. Già cominciano i piccoli, inutili encomi funebri; già qualcuno che è morto viene rivalutato come cittadino rispettabile, artefice di buone cose, uomo meraviglioso. Perché ha detto una cosa del genere? Per consolare una donna anziana, veramente, e per ingraziarsela. E poi, va bene, l'ha detto per affermare i suoi diritti sul corpo: *Lo conoscevo molto intimamente, sarò la prima a giudicarlo.* In questo momento le piacerebbe ordinare a Laura Brown di andare a letto, chiudere la porta e restare nella sua stanza fino al mattino.

"Sì," dice Laura. "Ed era uno scrittore meraviglioso."

"Ha letto le poesie?"

"Sì. E anche il romanzo."

Sa, allora. Sa tutto di Clarissa, e sa che lei stessa, Laura Brown, è il fantasma e la dea in un piccolo olimpo di miti privati resi pubblici (se "pubblico" non è un termine troppo grandioso per la piccola e tenace cricca di lettori di poesia che ancora resiste); sa di essere stata adorata e disprezzata; sa di aver ossessionato un uomo che potrebbe, plausibilmente, rivelarsi un artista importante. È seduta qui, con le sue lentiggini e il vestito a fiori. Dice con tranquillità di suo figlio che era uno scrittore meraviglioso.

"Sì," dice Clarissa, senza poterci fare niente. "Era uno scrittore meraviglioso." Che altro può dire?

"Lei non è mai stata il suo editore, vero?"

"No. Eravamo troppo vicini; sarebbe stato troppo complicato."

"Sì. Capisco."

"Gli editori hanno bisogno di una certa oggettività."

"Certo."

Clarissa sente di stare soffocando. Com'è possibile che sia così difficile? Perché è così impossibile parlare apertamente a Laura Brown, farle le domande importanti? *Quali sono* le domande importanti?

Clarissa dice: "Mi sono presa cura di lui meglio che ho potuto."

Laura annuisce. Dice: "Avrei voluto fare meglio."

"Anch'io avrei voluto."

Laura si protende a prendere la mano di Clarissa. Sotto la pelle morbida e flaccida della mano di Laura ci sono le spine e i nodi delle ossa, le corde delle vene.

Laura dice: "Abbiamo fatto del nostro meglio, cara. È tutto quello che uno può fare, no?"

"Sì," dice Clarissa.

Quindi Laura Brown, la donna che ha provato a uccidersi e ha fallito, la donna che ha abbandonato la famiglia, è viva mentre gli altri, tutti quelli che hanno lottato per sopravvivere nella sua scia, sono morti. Lei è viva adesso, dopo che suo marito è stato portato via da un cancro al fegato, dopo che sua figlia è stata uccisa da un pirata della strada ubriaco. È viva dopo che Richard è saltato da una finestra in un letto di vetri rotti.

Clarissa tiene la mano della donna anziana. Che altro può fare. Dice: "Mi chiedo se Julia si è ricordata del suo tè."

"Sono sicura di sì, cara."

Clarissa guarda oltre le porte a vetri che conducono al modesto giardino. Lei e Laura Brown sono riflesse, in maniera un po' confusa, nel vetro scuro. Clarissa pensa a Richard sul davanzale: Richard che si lascia andare; non salta, effettivamente, ma si lascia scivolare come da uno scoglio nell'acqua. Come dev'essere stato il momento in cui lo ha irrevocabilmente fatto? Il momento in cui era fuori dal suo appartamento scuro e sospeso nell'aria? Come dev'essere stato vedere il cortile in basso, con i suoi bidoni dell'immondizia blu e marrone, il fascio di vetri gialli che veniva veloce in su? È stato – è possibile che lo fosse? – un piacere abbattersi sul pavimento e sentire (lo ha sentito per un momento?) il cranio che si rompeva aprendosi, tutti i suoi impulsi, le sue piccole luci che saltavano fuori? Clarissa crede che non possa esserci stato molto dolore. Ci potrebbe essere stata l'idea del dolore, il suo primo shock, e poi... qualsiasi cosa venisse dopo.

"Vado a vedere," dice a Laura. "Torno tra un minuto."

"Va bene," dice Laura.

Clarissa si alza in piedi, un po' barcollante, e va in cucina. Sally e Julia hanno preso il cibo dal frigorifero e lo hanno disposto sui ripiani. Ci sono spirali di petto di pollo screziate di nero, con tocchi di giallo brillante, impalate su bastoncini di legno disposti intorno a un vasetto di salsa di arachidi. Ci sono tortini di cipolla. Ci sono gamberi al vapore, e quadrati rosso brillante di tonno con un tocco di *wasabi*. Ci sono triangoli scuri di melanzane alla griglia, e sandwich rotondi di pane scuro e foglie di indivia che hanno sui gambi un tocco di formaggio di capra e noci tritate. Ci sono basse insalatiere piene di verdure crude. E c'è, in un piatto di terracotta, il pasticcio di granchio preparato da Clarissa per Richard, perché gli piaceva tanto.

"Mio Dio," dice Clarissa. "Guarda quanta roba."

"Aspettavamo cinquanta persone," dice Sally.

Restano immobili per un momento, tutte e tre, davanti ai piatti traboccanti di cibo. Il cibo sembra puro, intoccabile; potrebbe essere un'esposizione di reliquie. A Clarissa sembra per un momento che il cibo – la più deperibile delle cose – rimarrà qui dopo che lei e le altre saranno scomparse, dopo che tutti loro, anche Julia, saranno morti. Clarissa immagina il cibo ancora qui, ancora in un certo senso fresco, non toccato, mentre lei e le altre lasceranno questa stanza, a una a una, per sempre.

Sally prende la mano di Clarissa fra le sue. Bacia la fronte di Clarissa in maniera risoluta ed esperta, in un modo che ricorda a Clarissa l'affrancatura di una lettera.

"Mangiamo tutte e andiamo a letto," dice dolcemente all'orecchio di Clarissa. "È ora di mettere fine a questa giornata."

Clarissa stringe la spalla di Sally. Vorrebbe dire: "Ti amo", ma ovviamente Sally lo sa. Sally restituisce la stretta al braccio di Clarissa.

"Sì," dice Clarissa. "È ora."

Sembra che in questo momento Richard cominci davvero a lasciare il mondo. Per Clarissa è una sensazione quasi fisica, uno strappo morbido ma irreversibile, come un filo d'erba che venga tirato via dalla terra. Fra poco Clarissa si addormenterà, fra poco tutti quelli che lo conoscevano saranno addormentati, e tutti si sveglieranno domani mattina per scoprire che lui si è unito al regno dei morti. Si chiede se l'indomani mattina segnerà non solo la fine dell'esistenza terrena di Richard, ma anche l'inizio della fine della sua poesia. Dopo tutto ci sono così tanti libri. Alcuni di essi, una manciata, sono buoni, e di quella manciata solo pochi sopravvivono. È possibile che i cittadini del futuro, persone non ancora nate, vorranno leggere le elegie di Richard, i suoi lamenti cadenzati con tanta bellezza, le sue offerte di amore e furia rigorosamente antisentimentali, ma è molto più probabile che i suoi libri svaniranno con quasi tutto il resto. Clarissa, il personaggio del romanzo, svanirà, così come Laura Brown, la madre perduta, la martire e il diavolo.

Sì, pensa Clarissa, è ora di mettere fine a questa giornata. Diamo le nostre feste; abbandoniamo le nostre famiglie per vivere da soli in Canada; combattiamo per scrivere libri che non cambiano il mondo, nonostante il nostro talento e i nostri sforzi senza riserve, le nostre speranze più stravaganti. Viviamo le nostre vite, facciamo qualunque cosa, e poi dormiamo – è così semplice e ordinario. Pochi saltano dalle finestre o si annegano o prendono pillole; più persone muoiono per un incidente; e la maggior parte di noi, la grande maggioranza, muore divorata lentamente da qualche malattia o, se è molto fortunata, dal tempo stesso. C'è solo questo come consolazione: un'ora qui o lì, quando le nostre vite sembrano, contro ogni probabilità e aspettativa, aprirsi completamente e darci tutto quello che abbiamo immaginato, anche se tutti tranne i bambini (e forse anche loro) sanno che queste ore saranno inevitabilmente seguite da altre molto più cupe e difficili. E comunque amiamo la città, il mattino; più di ogni altra cosa speriamo di averne ancora.

Solo il cielo sa perché lo amiamo tanto.

Qui c'è ancora la festa: i fiori ancora freschi, tutto pronto per gli invitati, che alla fine sono solo quattro. Perdonaci Richard. In effetti, e dopo tutto, è una festa. Una festa per quelli che non sono ancora morti, per quelli relativamente in buone condizioni, per quelli che per ragioni misteriose hanno la fortuna di essere vivi.

È, in effetti, una grande fortuna.

Julia dice: "Credi che dovrei preparare un piatto per la madre di Richard?"

"No," dice Clarissa, "vado a prenderla."

Ritorna in salotto da Laura Brown. Laura sorride debolmente a Clarissa – chi sa cosa pensa o sente? Eccola, la donna della furia e del dolore, del pathos, del fascino abbagliante; la donna innamorata della morte; la vittima e la carnefice che ossessionava il lavoro di Richard. Qui in questa stanza c'è l'amata, la traditrice: una donna anziana, una bibliotecaria in pensione di Toronto, che porta vecchie scarpe da signora.

E c'è anche lei, Clarissa, non più la signora Dalloway: non c'è più nessuno a chiamarla così. E ha un'altra ora davanti a sé.

"Venga, signora Brown," dice. "È tutto pronto."

Ringraziamenti

Sono stato enormemente aiutato, nella revisione di questo libro, da Jill Ciment, Judy Clain, Joel Conarroe, Stacey D'Erasmo, Bonnie Friedman, Marie Howe e Adam Moss. Ricerche, consulenza tecnica e altre forme di aiuto sono state generosamente fornite da Dennis Dermody, Paul Elie, Carmen Gomezplata, Bill Hamilton, Ladd Spiegel, John Waters e Wendy Welker. Il mio agente, Gail Hochman, e il mio editore, Jonathan Galassi, sono dei santi scesi sulla terra. Tracy O'Dwyer e Patrick Giles mi hanno fornito più ispirazione di quanto sapranno mai, leggendo così ampiamente, attentamente e amorevolmente come hanno fatto. I miei genitori e mia sorella sono stati dei grandi lettori, anche se questo non conta rispetto ai loro altri contributi. Donna Lee e Cristina Thorson sono state indispensabili in più sensi di quanti possa elencare qui.

Three Lives and Company, una libreria che è di proprietà e viene gestita da Jill Dunbar e Jenny Feder, è come un santuario per me, il centro dell'universo civilizzato. Per molto tempo è stato il posto più affidabile dove andare quando avevo bisogno di ricordare perché i romanzi valgono comunque tutta la fatica che richiedono per essere scritti.

Ho ricevuto ospitalità dalla Engelhard Foundation e un assegno dalla Mrs. Giles Whiting Foundation ed entrambi hanno avuto un peso considerevole.

Sono profondamente grato a tutti.

Una nota sulle fonti

Virginia Woolf, Leonard Woolf, Vanessa Bell, Nelly Boxall e altre persone realmente vissute appaiono in questo libro come personaggi di fantasia, ma ho cercato di rendere nella maniera più accurata possibile i dettagli delle loro vite come dovevano essere state un giorno del 1923 che ho inventato per loro. Mi sono basato per le informazioni su una quantità di fonti, e prevalentemente su due biografie splendidamente equilibrate e ricche: *Virginia Woolf: A Biography* di Quentin Bell e *Virginia Woolf* di Hermione Lee. Essenziali sono stati anche: *Virginia Woolf: The Impact of Sexual Abuse on Her Life and Work* di Louise de Salvo, *Virginia Woolf* di James King, *Selected Letters of Vanessa Bell* a cura di Regina Marler, *Woman of Letters: A Life of Virginia Woolf* di Phyllis Rose, *A Marriage of True Minds: An Intimate Portrait of Leonard and Virgina Woolf* di George Spater e Ian Parsons, e *Beginning Again: An Autobiography of the Years 1911 to 1918* e *Downhill All the Way: An Autobiography of the Years 1919 to 1939* di Leonard Woolf. Un capitolo su *La signora Dalloway* nel libro di Joseph Boone *Libidinal Currents: Sexuality an the Shaping of Modernism* è stato illuminante così come un articolo di Janet Malcolm, "A House of One's Own", che è apparso in *The New Yorker* nel 1995. Ho anche appreso molte informazioni dalle introduzioni alle varie edizioni de *La signora Dalloway*, quella di Maureen Howard nell'edizione Harcourt Brace & Co, quella di Elaine Showalter nella Penguin e quella di Claire Tomalin nella Oxford. Sono grato a Anne Olivier Bell per avere raccolto e curato i diari della Woolf, a Andrew McNeillie che l'ha assistita e a Nigel Nicolson e Joanne Trautmann che hanno raccolto e curato le lettere della Woolf. Quando ho visitato Monk's House a Rodmell, Joan Jones è stata gentile e prodiga di informazioni. A tutte queste persone, voglio offrire i miei ringraziamenti.

Indice

Finito di stampare nel mese di settembre 2004
presso il Nuovo Istituto Italiano d'Arti Grafiche - Bergamo

Printed in Italy

SUPERPOCKET

Periodico settimanale, anno VIII, n. 222
Registrazione n. 707 del 30.11.1996 presso il Tribunale di Milano
Direttore responsabile: Rosaria Carpinelli

Distribuzione per l'Italia: RCS Diffusione S.p.A.
via A. Rizzoli, 2 - 20132 Milano

Michael Cunningham

È cresciuto a Los Angeles e vive a New York. Il romanzo *Le ore*, che è stato tradotto in ventisette lingue, ha ricevuto il Pulitzer Prize 1999 per la Narrativa, il Pen/Faulkner Award per la Sezione Narrativa Straniera. *Carne e sangue*, il suo secondo romanzo (Bompiani, 2000), gli è valso il Whiting Writer's Award. Sempre da Bompiani sono usciti il suo romanzo d'esordio, *Una casa alla fine del mondo* (2001), la raccolta di racconti *Mr Brother* (2002), *Dove la terra finisce* (2003).

BESTSELLER

BEST THRILLER

BIBLIOTECA **S** UPERPOCKET